THE MIXING MASTERS

催生音樂
混音大人物

游士昕
編著

全華圖書股份有限公司

Contents 目錄

Masters

大師專訪

近三十餘年以來，
華語流行音樂之所以縱橫天下，
除了靠著舞台上光鮮亮麗的明星魅力外，
擔當幕後推手的工作人員也功不可沒。
混音師，
在整個流行音樂產業的功勞與苦勞絕對是不能忽視的。
著眼於此，
本書包含五位在臺灣華語音樂幕後製作出
無數獲獎專輯的重量級大人物們，
以及特別收錄一位曾入圍葛萊美獎的知名外藉混音師的訪談。
共列舉了 24 項基礎的混音問題，
其中涵蓋了混音基礎概念的分享、
過往混音經驗的分享、
對於臺灣音樂產業與學界的建議與想法，
再依照大師們的回答做延伸探討，
以理論結合實戰，
帶領讀者更深入地瞭解混音工程製作的祕密。

大師專訪

王俊傑

混音大師：王俊傑
綽　　號：Mr.K、K 哥、高潮混音隊長
地　　點：強力錄音室／新北市

王俊傑老師，綽號 K 哥，絕對是華語樂壇二十多年以來最重要的混音師之一。

夾伴著強烈節奏與多變的混音風格是 K 哥一直以來的標記，無論是張雨生、張惠妹、黃小琥、S.H.E、潘瑋柏、蔡依林、蕭敬騰、蕭亞軒、林俊傑、羅志祥、周華健、F.I.R.、丁噹、梁文音等專輯中，都可以聽見 K 哥如同湧泉般的創意與功力。至今的混音作品更超過兩千首，對於華語樂壇絕對是功不可沒。

▲ 帥氣豪爽的 K 哥，神情與氣質皆顯露出一種對專業領域的絕對自信

訪談當日與 K 哥相約於華語音樂的最大誕生地之一—強力錄音室碰面，早在訪談日之前就與 K 哥有過一面之緣，對於 K 哥的第一印象是豪爽沒有距離，以及他所獨有的氣質與對專業領域的自信。

在剛籌備這本書並與 K 哥提及我想爲臺灣音樂產業出版一本混音書籍做爲記錄時，他連思考也沒思考的立即回應願意幫忙，由此可見他對華語音樂的熱忱與希望傳承的心。整個訪談的過程當中，更沒有感受到任何一點「訪談」的嚴肅氣氛，取而代之的是錄音室裡充斥著的笑聲，還有滿滿的知識分享。我想，談起混音工作，K 哥的熱情與專業，絕對是各大製作人爭先與他合作的原因之一。

混音本身的技術分享

01

游：請問老師通常習慣花多少時間 Mix 一首曲子？

K 哥：我個人的習慣大概 6 個小時內一定會完成整首曲子的混音，再額外以 2 個小時的時間跟製作人討論溝通與修改，這大概是整個混音案件的時數。對我而言，混音不需要太久的時間，因爲太久容易造成誤判，這也是在整個混音工作當中我最不希望出現的狀況。

02

游：老師對於整個混音時間的分配比例大略為何？是否會限制自己的混音時間來進行每個階段的工作？

K 哥：我是比較屬於節奏型的混音師，因此我在節奏上總是會花相較於其他部分更多的時間打底。無論是快歌、慢歌，我都會從像是爵士鼓或是任何其他節奏樂器下手，當處理好整個節奏的基幹，再由律動往外延伸，慢慢鋪陳上去，這對我而言非常有利於後續其他頻率的處理與調整。

03

游：在開始一個全新的混音專案時，老師有沒有什麼自己特殊的工作習慣或處理專案的程序？

K 哥：第一件事情就是……先抽菸啊（錄音室裡瞬間爆發出歡笑聲）！

我習慣在接觸到一個全新的專案時，先把整首歌曲完整的聽一次，對！一次就好了。因爲混音工作裡最害怕的是被無意識的洗腦，這很容易影響了後續任何創意發想的可能性。我的習慣是在第一次聆聽時，只大略判斷歌曲的模樣與形狀就好了，如果沉迷在 Rough Mix 裡面太久，想法是很容易被 Format 掉的。

然而，如果我在播放歌曲的過程當中特別倒回去聽某些段落時，可能是因爲那個段落是特別精彩的，或者是有問題的，這時候我反而就會從段落銜接點開始整個混音工作，因爲這些銜接點通常會給我很多idea，以便繼續後面的混音工作。

04

游：**最愛用的軟硬體 Compressor 是什麼？為什麼？**

K哥：Urei 1176 是我非常喜歡的 Compressor，因爲它壓縮出來的聲音非常的自然，而且它壓縮出來的聲音相較於其他款 Compressor 結實，對我而言 Compressor 就是要讓聲音變髒、變大顆，要是 Compressor 壓出來跟沒壓一樣，那要用它幹麻？

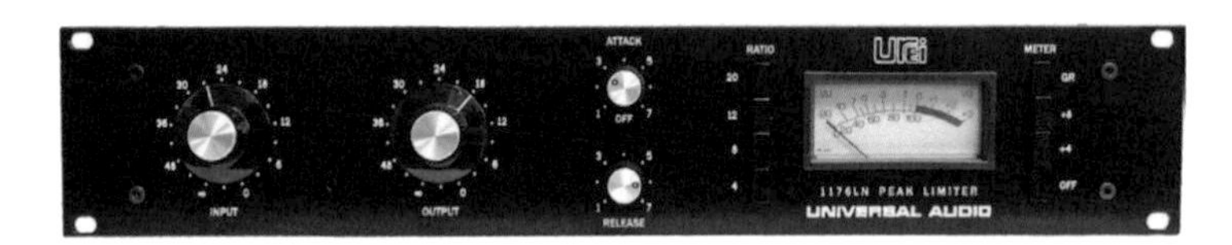

▲ Urei 1176（Urei 與 Universal Audio 形同父與子的關係，在後來時代也推出了復刻版本的 1176）

05

游：**最愛用的軟硬體 EQ 是什麼？為什麼？**

K哥：在 EQ 的使用上，我還是偏向聽取不同聲音之後再下去做選擇，如果今天面對的聲音特性太乾淨，我就會選擇過一點眞空管，讓他有點眞空管暖暖髒髒的聲音；相反的，如果聲音本身就已經很有個性了，我就會選擇較沒有渲染性的 EQ，而保留聲音本身的特性。

George Massenburg Labs（GML）的 EQ 就是我非常愛用的一款，對我而言，EQ 最重要的就是乾淨，不能夠因爲加了 EQ 就變髒了，而 GML 非常沒有渲染性，但操控性十足。

▲ George Massenburg Labs 8200EQ

06

游：**最愛用的軟硬體空間效果器是什麼？為什麼？**

K哥：當聲音太乾淨時我總會想要把它弄髒，而聲音太髒時我又想要整個改變它，我混音的習慣絕對要有創意（K 哥露出一抹自信的笑），因此在空間效果器上的使用常常能夠幫我完成這樣的需求。

我個人非常喜歡 Lexicon 480 的 Reverb 效果器，它的密度調整非常的細，也非常的好調，它可以讓聲音要透明有透明，要髒也夠髒，在聽覺上具有非常多的選擇性，也非常好聽。

▲ Lexicon 480 Reverb

07

游：**老師對於 Compressor 與 EQ 的前後順序的應用看法是什麼？**

K哥：現在 Pro Tools 在聲音訊號的呈現上都有聲音波形可以看，因此在 Compressor 與 EQ 順序的選擇上，我會以波形的動態做爲主要前後順序考慮的選擇。舉例來說，今天面對的聲音波形爲不規則狀態時，我就會先壓縮，將聲音的動態控制在合理的範圍，然後再透過 EQ 來調整我想要的聲音色彩。如果今天面對的聲音本身就已經非常的 Smooth，我就會直接使用 EQ 來調整，這時候再使用 Compressor 的原因就單純只是將聲音變大顆而已，或甚至在這樣狀況下不使用 Compressor 也可以，Automation 才是最好的 Compressor。

08

游：在混音工作當中，老師對於整體聲音 Sound image 的規劃習慣是什麼？老師習慣的樂器、人聲（背景和聲）、節奏的比例原則是什麼？

K 哥：對於音場的調整，其實……我覺得我滿正常的（錄音室再度爆出一陣笑聲）。

我的聲音 Balance 重點就是，讓編曲所有的聲音，在一對喇叭裡面都聽的到！除此之外，如果你問我有沒有什麼個人擺放聲音的特別習慣，其實是沒有的。在聲音的 Balance 裡主要還是需要依照歌曲的差異性來擺放。

舉例來說，像是 Strings 的擺法我就不會每次都依照古典管弦樂團的每個樂器採一部二部的排法，我個人認爲這樣的使用方式在某些流行音樂歌曲裡較容易造成頻率上的不和諧，產生高低音頻率不夠平均的狀況，所以有時候在處理 Strings 混音時，我也會使用現在滿流行的德式擺法，不依照傳統管弦樂樂團的擺置，而改依照頻率的和諧度來排位置。

當我在調整整體音場 Balance 時，因爲低音頻率非常容易被高音頻率給蓋掉，因此我習慣從整個聲音的底，也就是低音頻率開始顧好，再開始由高頻往上加，然後確定對應到左右邊的頻率，並聽起來和諧後，才會來調整每個聲音的前後位置。換句話說，我調整 Balance 的重點就是先將所有的頻率調和順，再調整其他的後製效果與音量大小。

09

游：**老師對於 Outboard 硬體效果器與 Plug-ins 軟體效果器的搭配比例順序與原則是什麼？**

K哥：現在的混音專案當中，因爲調整方便的原因，我已經習慣使用約 7 成的軟體效果器了。不過對於這點，基本上我不會有太多的比例原則，對於使用 Outboard 與 Plug-ins 的選擇比例，硬體本身的顆粒感就遠大過 Plug-ins，聲音的表現也較爲結實。因此，如果這個專案不會更改太多，在效果器的選擇上我會以硬體爲優先考量。

但這個前提是整個作品能夠在不會更改太多的狀況下，因爲使用硬體所過出來的聲音不像是 Plug-ins 更改一樣的方便又快速，因此判定使用軟硬體之間的比例，我的狀況是依這個專案在未來的修改程度而定。

10

游：**一整張專輯中，往往有著不同風格或者曲風的音樂，在此部分，如果老師擔任了多首曲子的混音師職務，老師都是怎麼依照歌曲之間的差異進行混音工作的？**

K哥：混一整張專輯，我的一個最重要的習慣就是主唱的線性。

爲了避免聆聽者的聽覺因爲專輯內每一首歌曲主唱的差異而受到影響，因此主唱的音色、音量與在歌曲裡面的位置就非常重要。再加上，如果一整張專輯每首歌曲的主唱差異太大，這是很容易造成混音後方階段 Mastering engineer 的痛苦，因此每首曲目的主唱基準點就很能夠在這點上給予一定的幫忙。

11

游：老師在處理 MIDI 與真實樂器的搭配比例原則是什麼？

K 哥：這個問題需要探討到眞實樂器素材的好壞。

當這一次專案拿到很好的 Player 演奏，那當然是眞實樂器爲主，MIDI 爲輔；但是如果碰到眞實樂器彈得不是那麼好，音色與拍性都有著較大的麻煩時，我就會再跟 MIDI 調整彼此之間的比例，眞實樂器就不會這麼的多了。

12

游：如果老師只參與了混音階段，手上的聲音素材品質略差一些，老師會怎麼處理與製作呢？

K 哥：這時候只能夠不擇手段的調整了（笑）。

我曾經拿過一個完全沒有低音的 Bass，對（此時錄音室裡發出一陣困惑聲）！完全沒有低音的 Bass，哈哈！當時我就是不斷 Double 這個 Bass 的低頻，盡量讓它改變成原本屬於它應該要有的聲音，在完事後，製作人還很驚訝這是他給我的素材呢！當今天面對的是較差的聲音素材，盡全力用 Replace 或是強硬、不擇手段的調整是唯一的方式，因此在錄音階段的專業度就很重要了。

再舉例來說，節奏類組的素材遇到串音的問題是非常常見的，但當串音的聲音比樂器本身的聲音更大聲時，或者是因爲 Player 的 Punch 不夠時，這時候我就會選擇讓 Overhead 整套鼓的聲音輪廓清晰一些，然後顆粒細節的地方就使用偷天換日的手段，透過 Replace 增加額外的 Sample 來堆疊一層聲音，進而改變這個問題。

過往的混音經驗分享

13

游：老師過往混音工程的案件當中，令您記憶最深刻的案件為何？

K哥：好久以前……大概快二十年前，我曾經遇過一首電影主題曲，因爲編曲需求，主唱與每個樂器與樂器之間的 Key 都不一樣，當時這狀況眞的很硬，Key 的不同會造成頻率之間也完全不同，因此 Balance 不知道怎麼擺。當時決定以人聲爲主軸，並將人聲以外的樂器 Pitch 不要差異太多，讓聲音沿著主線漸漸由內向外延伸，想辦法讓人聲在整首歌曲裡穿透出來，這是我當時的處理方式。

14

游：一個正確的監聽環境是一件非常重要且必要的事，但如果因為現實因素導致無法每次都在相同空間環境進行混音，請問老師會如何克服這點？（舉例來說，需要與其他錄音室的合作、轉換錄音室繼續進行相同的作業等原因）

K哥：針對這個問題最主要的解決方式就是音量控制。

在沒把握與不熟悉的地方混音，因爲自己不夠瞭解及不熟悉音場的原因，音量千萬就不要開太大聲，以避免頻率因爲聲學反應的狀況讓自己誤判。

當到一個不熟的環境，我第一件事情會把之前 Mix 的歌曲調出來聽聽看，瞭解一下整個專案在此陌生空間當中的頻率響應，以及自己習慣的房間頻率表現之間的差異，再來決定混音工作時的聆聽音量。

▲ K哥工作的地點，最愛的房間，強力錄音室

15

游：對於新手音樂人可能無法負擔進入錄音室擁有正確的監聽環境，這樣狀況下，老師有什麼建議或方式可以克服呢？

K哥：要是剛入門的音樂人能夠撇除品牌迷思，用房間去挑喇叭，花的錢絕對會不一樣，成效也不一樣，而對於整個聲音的聆聽也會得到一個不錯的效果。

舉例來說，如果今天你的房間是一個較小的空間，那就不要挑瓦數太大的喇叭，否則低音混濁的狀況絕對會搞到你無法進行混音。而太大坪數的空間，挑選過小瓦數的喇叭，音量又出不來，因此挑一對適合房間的喇叭，絕對比堅持挑品牌的喇叭來得效果。

16

游：老師是怎麼整理自己的素材資料庫與 References ？

K 哥：爵士鼓的大鼓小鼓都有 Pitch 問題，因此像我自己的資料庫，除了依照曲風，像是 Rock、Pop 等不同的曲風爵士鼓分類，還會有依照不同 Pitch 來分類的鼓組。然而像是 Reference，我不會用自己做過的歌曲當 Reference，因為我每一次在不同時間聆聽，都會覺得好像還可以有很多不一樣的做法（錄音室再度充滿了歡笑）！因此一些平常聽到的歌曲，和一些不一樣的混音大師作品，若今天聽到我覺得什麼地方不錯，我就會將它收集起來，並依照不同曲風來分類，做為後續混音的 References 參考。

17

游：在混音工作當中，「溝通」往往是影響作品好壞的一個重要因素，請問老師在處理溝通這件事上的看法與想法？如果遇到不順心，製作人和老師又是怎麼溝通解決的呢？（舉例，製作人所想要的音樂呈現與老師所想要的呈現差異太大）

K 哥：在溝通上，這需要牽扯到整個歌曲製作人的經驗。如果今天面對的是比較有想法或者比較不清楚歌曲目標與想法的製作人，這種製作人較常會在混音工作上要求些與一般混音常理中不太一樣的狀況，通常這時候我就會順著他，不然整個專案檔在進行時，卡住的機會非常大，更會連帶影響到整個混音的走向與品質。

相反的，如果是很資深或者是合作很久的製作人，他們對於整個歌曲通常會有很明確的目標，這時我就比較會參與整個作品的製作走向。

對臺灣音樂產業的建議與想法

18 **游：老師認為臺灣的混音製作成品與國外的混音製作成品最大的差異是什麼？**

K哥：臺灣的混音作品與國外的混音作品的差異，文化與語言的影響是最關鍵的。以製作來說，其實同樣的 Backing 與樂器，臺灣的混音與國外的混音差異不大，但是當主唱開口唱出歌詞時，中文國字的咬字較難與節奏契合，容易造成聽覺感受上的差異，我想這是最主要的問題。

以混音的基底來舉例，當我們專注在大鼓的顆粒與厚度時，你可能製造出了非常渾厚又充滿重量感的大鼓，但當混音進行到主唱部分時，因爲中文字咬字的關係，主唱的頻率卻非常容易被節奏吃掉，這時候就很容易造成聽覺上的落差，這正是最可以感受到華語作品與西方作品之間差異的地方。

19 **游：老師認為臺灣的混音環境與國外的混音環境最大的差異是什麼？**

K哥：像我與大禾音樂製作公司所開設的混音大師班，裡面非常多人都是在 YouTube 學習某些混音技巧，但這些技巧其實都只是片段，並不適用於每一種歌曲混音的狀況。混音的技巧是需要與相關不同的曲風、樂器、設置來做改變，並非一成不變。在這樣環境下學習混音，導致許多對於音樂有熱忱的年輕人只能試著土法煉鋼，或者是學習片段，我想這就是臺灣混音環境與國外最大的差異，臺灣學習聲音工程的環境實在太少了。

20

游：臺灣的聲音工程學習環境相對於國外，門檻還是較高（不管是設備器材、資訊取得管道、學習師資等原因），這點也讓許多充滿熱忱想要學習聲音工程的年輕人不得其門而入，對於這點老師的建議或者想法是？

K哥：我給想要學習混音的新手的建議就是，當你聽到某個聲音，你就想辦法去模仿。

在模仿的過程當中，我們的耳朵自然而然就會瞭解 Tone 的差異與器材的設置，自然而然就會瞭解對方是怎麼做的。在學會模仿混音的 Tone 後，你可以開始試著臨摹混音。當你聽到了一首曲風與你相似的歌曲，而且這些配器是你都擁有的，那就開始想辦法去揣摩這首歌曲的混音情境，這就是一個最佳練習混音的方式。當你可以揣摩出原曲 80% 的味道時，在不知不覺當中你就已經開始學習與學會混音了。

在剛開始學習混音的階段，有一個非常實用的訓練混音的方式，那就是聽一首歌時把所有的樂器寫出來，所有樂器配器與各自的前後左右，甚至有什麼效果讓你印象深刻，這對於混音的學習有著無比的幫助。如果有一天你甚至可以模擬出那些歌曲的狀況，那你眞的是超級成功了（錄音室大歡笑 Again）。

21

游：近年來隨著數位影音的蓬勃興起，臺灣的大專院校愈來愈多數位音樂等相關學程科系設立，這接連引出許多問題，像是學界礙於設備資訊與師資等問題導致學界、業界差異愈來愈大。而兩者之間又該如何銜接？

K哥：對於最近數位影音的科系漸漸開始蓬勃，樂觀面是，總算開始了！因爲中國對於數位音樂的培訓與教育已經早過於臺灣非常的多，然而，臺灣終於開始了！但是相反的，悲觀面爲擔心學生所學習到的可能單純只是課本或者是翻譯本的理論，並不是實戰或者是能夠派得上戰場的資訊，這也就是缺少實戰面的問題。

近期愈來愈多人注意到這個問題的發生，因此業界也許可以思考透過舉辦一些活動，使音樂圈業界與學界之間擁有更多連結，像是作曲、混音的比賽或者是合作，讓這些新興科系的學生能夠眞正的跳進圈子裡，用實力一較高下，讓他們更能夠瞭解到實戰與課本上的差異。再加上，業界與學界的合作，能夠讓學生接觸到的不僅只是學校的老師，從這些活動中，更能夠得到不同的建議與方向，得以了解自己的實力與現實工作當中會遇到的狀況。

再者，學生在學習聲音的階段，一定要花費非常多的時間去聽很多的歌，讓自己瞭解世界有多大、音樂曲風的多寡、製作方式的差異，而不是只侷限在自己所喜好的範圍與框框裡面，這點之於學習混音也是相當重要的一件事。

▲ K哥

22

游：老師有什麼話想對剛接觸混音的新音樂人說，或者可以給予什麼建議呢？

K哥：剛接觸混音的音樂人有一件非常重要的事，一定要瞭解什麼是好聲音與什麼是壞聲音，換句話說，請先搞好監聽環境是非常重要的一件事。如果有決心想要走這行的朋友，該花的錢真的還是要花的，有些錢是無法省的，這些都是影響到你所創造出的每一個聲音。當解決了這個問題後，還有更多問題要面對；解決了這個問題後，你才有辦法去「聆聽」聲音，才有辦法努力「記憶」聲音，更才有辦法去「創造」屬於你自己的聲音。

大師專訪

林正忠

混音大師：林正忠
綽　　號：小林
地　　點：白金錄音室／臺北市

林正忠老師，在音樂產業裡，人稱小林老師。本身擁有著古典音樂人的堅實後盾，在面對人與人的溝通與器材的使用上，有著極為嚴謹且溫馴平靜的性格，並且累積了屬於自己獨特的與音樂對話的模式，在近三十年來激烈競爭的華語音樂產業市場裡，一直占有一席之地。

▲ 不善於面對鏡頭而感到害羞的小林老師與他最熟悉的工作環境

小林老師總是兢兢業業地在錄音室裡面對與處理每一首歌曲、每一首曲子，即便至今已經擁有了三十年資歷，混音作品也近四千餘首，老師還是非常尊重每一個曲子的製作人想要的方向，並且盡力達成任務。

在華語音樂當中紅遍大江南北的專輯不勝枚舉，像是王菲、那英、李宗盛、江蕙、五月天、張惠妹、蔡依林、林宥嘉、S.H.E、戴佩妮、彭佳慧、孫燕姿、伍思凱、黃鶯鶯、光良、梁靜茹、張學友、縱貫線、F.I.R.、A-Lin、劉若英、魏如萱、梁詠琪、蕭敬騰、林俊傑、白安等，這些專輯的共同點就是，當在聆聽音樂的本身，就等於在聆聽小林老師的作品！

訪談當天，我帶著忐忑的心在白金錄音室與「音樂圈的公務員」著名的小林老師見了面。在與老師握手的瞬間，那雙溫暖的手，直視你的誠懇雙眼，還有極爲客氣招呼聲，我突然理解小林老師於業界的正面評價並非浪得虛名！

整個訪談過程中，深怕自己的專業知識無法控制整個訪談的節奏與老師的言談舉止，但這些擔憂是多餘的。細心的小林老師就像洞悉了我的內心一樣，在聊到略爲模糊的區塊或者是離題時，他又會立刻返回問題的焦點，並再逐一解釋給我聽。

我想，樂於分享也善於引導音樂人完成他們心中的想像，真的是老師這三十年來在音樂上持續保持熱忱的原因，著實令人敬佩！

混音本身的技術分享

01

游：老師對於整個混音時間的分配比例與大略時間為何？是否會限制每個階段的混音工作時間？

小林：時間問題，其實眞的沒有所謂的一定怎麼樣耶？

像是有些配器很簡單的歌曲，頻率對了、Balance 對了、感覺對了，眞的不需要花費太多時間。舉例來說，像是李宗盛大哥的〈給自己的歌〉，當時這首曲子的 Pro Tools 裡有 17 軌，我記得我兩個半小時的時間就處理好了，當時我還想進行其他處理，但是大哥也不讓我繼續 Mix 下去或做任何動作了，哈哈！其實做音樂，只要當下的感覺對了就可以了。

現在網路很方便，通常早上在處理新曲子時，助理會幫我將製作人的檔案下載下來，我大概都是下午一點半左右進錄音室，通常會先看看今天軌道的多寡，然後我有一套自己習慣的方式將軌道 Layout 到 SSL console 上面，再依照習慣的安排軌道順序，之後就開始調整 Balance 了。如果從一點半開始算工作時間，通常約吃晚餐時間前我就會完成了。基本上 EQ、Reverb、還有效果的 Balance，然後吃完飯我就會開始處理 Ride the fader 的部分，其他就是在等待製作人還有討論聆聽的時間了，通常這時約為晚上八點至八點半左右。

02

游：老師有沒有什麼特殊的工作習慣或處理曲子的程序？

小林：每一首歌都有著屬於它自己的生命，製作人挑了這首歌並選擇了我來 Mix down，我覺得就是相信我對於聲音的喜好與工作模式。如果今天你想要我 Mix 的像 Bob Clearmountain，那你就直接去找 Bob Clearmountain 就好了啊（錄音室發出燦爛的笑聲）！

由於現今大家的 Rough mix 音量都很大，我要是跟著它走的話，出來的音量就必須要比它還大，人家才會覺得你 Mix 的比它好，這是很不對的行爲，所以我在開始曲子前都是不聽 Rough mix 的。我會照我的想法與看法直接開始 Mix down，等到製作人快來的時候才會開啓 Rough mix 對比一下我的方向跟它的方向有多遠，然後決定 Follow 或者是照自己的方向繼續。

▼ SSL 9000 console

無論今天我拿到多少的素材，我都會邏輯性的排好我的 Layout 跟 Color coding：可能約 12 軌的節奏組鼓組，盡量不超過這個軌數，大鼓、小鼓、Hi-hat、Overhead、Room mic 等一定要有各自單獨的軌道，而 Toms 類就是各自兩軌，這是我的習慣。然後是 Bass、弦樂組、和弦組、Pad、Synthesizer 等的方式，之後再依照不同的群組下去工作。喔！對了，我喜歡 Mono 的聲音訊號，所以像是每次拿到 Kick 或 Bass、Guitar 等這種常拿到一堆的 Stereo 聲音素材，我做的第一件事一定是 Split into Mono，將所有聲音素材都拆成 Mono 檔再工作。

其實 Layout 的方式也不一定就是這樣，最主要的原因是我的 SSL console 就是 48 軌，我又需要一些 Effect 和 Return，所以盡可能的讓 Pro Tools 的 DAC Return 所有軌道緊縮在 40 軌裡，這就是我喜歡的一個工作系統與模式。在我的觀念裡，我不喜歡事情複雜化，我個人認爲處理混音得「憑直覺、抓重點」，這是每一個混音師都該培養與學習的。

我總是喜歡照著自己堅持的工作方向走，只要是我 Print、只要是掛了我的名字、只要是我接的案子，我不希望有任何失手。我總是會不厭其煩地一而再、再而三的檢查混音工作，因此時間上眞的是沒有一個固定的工作時數。但是，一旦這個曲子結束了，我就再也不聽了！請別誤會！在我的混音工作裡是這樣的，只要隔了一段時間，耳朵聆聽就會擁有極大的差異，我就會想修改，因此永遠都沒有辦法調出所謂最完美狀況的聲音，再加上我沒有那個時間，通常案子也沒有那個 Budget，因此這是在大錄音室工作的一個訓練重點，今日事今日畢。我願意花一整天的時間跟製作人嚴謹地一次處理好這個專輯，你要多久時間我都給你，但不能拖了好幾天，讓聽覺影響了判斷。

03 游：最愛用的軟硬體 Compressor 或 EQ 是什麼？為什麼？

小林：我認爲器材和音樂一樣，其實是很主觀與個人化的。

因此我在談論器材時，從不認爲這是一個需要太過嚴肅的話題（訪談當時我們在錄音室裡，老師的硬體箱子林立在我們身旁，每一台機器都有著老師的堅持與故事）。這些器材就像人一樣，每個都擁有屬於它們的生命與個性。然而，器材終究是個手段，最重要的還是音樂的本質與目的。

我的器材以 Vintage 居多（談到了器材，老師臉上露出了燦爛得意的笑容），我喜歡早期 Urei 的聲音，雖然 Universal Audio 和 Urei 有種父與子的感覺，但它們的聲音卻是完完全全的兩回事！我非常喜歡 Vocal 的 Compressor，就是 Vintage 的 1176，鼓我通常會使用 Distressor 或是 Urei 的 1178。

像我早期跟伍思凱一起去找 Mick Guzauski，這是我最喜歡的 Mixing engineer 之一，當時看到他在使用 Urei LA-22，聲音好棒，我就也跟著好喜歡這台機器，回臺灣後也馬上將它納入我的收藏之一。

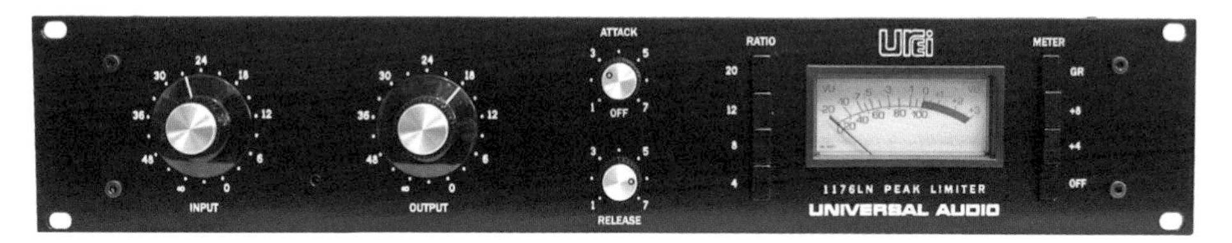

▲ Urei 1176

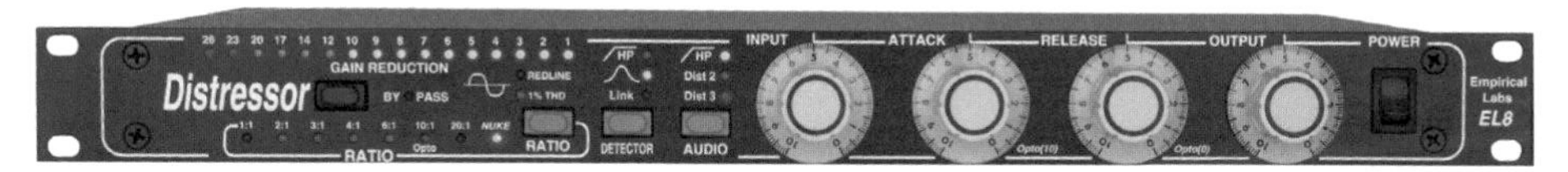

▲ Distressor

▲ Urei 1178

▲ Urei LA 22

▲ Urei 545 Parametric Equalizer

04 游：最愛用的軟硬體空間效果器是什麼？為什麼？

小林：我試過非常多 Plug-in reverb 和 Hardware reverb，我個人認為，在 Effects 上的使用，實驗與比較的成分非常高。

比如說，華語歌最難處理的部分就是 Vocal 中高音的唇齒音，3k 左右到 1k 或 2kHz 都有，所以要是用高頻響應太多的 Reverb 真的會想哭啊！所以我就會很重視 Vocal 的表情，要聽到聲音清亮的燦爛，但又不能夠太刺耳。在 Vocal 上的處理有個重點，要清楚卻又不刺耳、要厚卻又不轟、要站得好卻又不能太硬、要 Air 卻又不能太細，這些效果都會受到使用效果器 Compressor、EQ、Effects 本身差異的影響，因此在效果器的使用上，我也是較偏向實驗性的方式。

我自己擁有的效果器很多，但是 Lexicon 真的占了大多數，我從 Lexicon PCM 60、70、80、90、300、480，還有現在比較新的 PCM 92 都有。之所以擁有這麼多的原因在於 Lexicon 的聲音實在是很華麗啊！它用在流行歌的 Effects 真的是很適合。

▲ Lexicon PCM 60

▲ Lexicon PCM 70

▲ Lexicon PCM 80

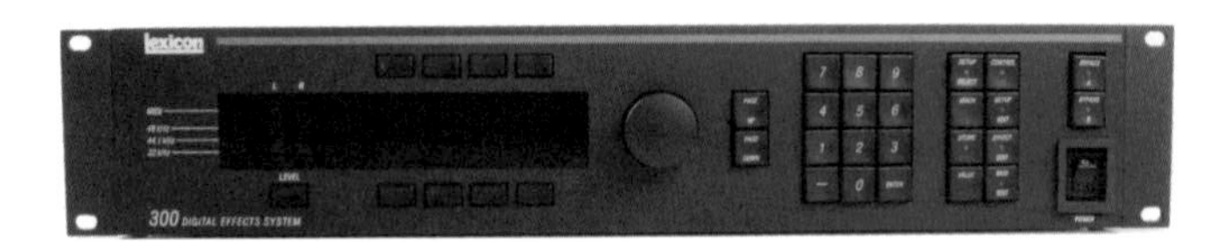

▲ Lexicon 300

▲ Lexicon 480L Effects system

▲ Lexicon PCM92

其實除了 Lexicon 之外，我還有很多 Effects，像是 Eventide、TC Electronic M3000，還有 Yamaha ！對！ Yamaha 的 Effect 其實眞的很好，大家眞的都誤解它了。我二十七年前去美國錄張清芳的〈加州陽光〉，當時看到 Engineer 用了 Yamaha Reverb 7，調出來的效果好自然，我嚇了一跳，之後立刻也去找了一台，它在我後來 Vocal 的效果使用上幫助了非常多。

▲ Eventide Effects system DSP 4000B

▲ Yamaha Reverb 7

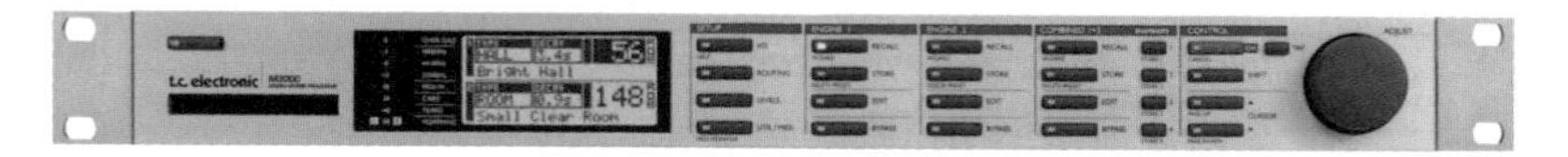

▲ TC Electronic M3000

05

游：老師對於 Compressor 與 EQ 的前後順序，在應用上的看法為何？

小林：原則上，我都是先 Compressor 再 EQ，可是也有例外的時候。

當我要處理所有的 Source 頻率時，頻率沒有所謂的對或錯，原則上我會先 Check 所有我不喜歡的頻率，然後 Cut 掉它們。比如說 Acoustic guitar 要是在收音階段沒有處理得很好，低音弦約 100 至 200Hz 的比例太多，我就會先 Low cut 掉不好的頻率再進行 Compressor，因爲如果這種低音與高音不平衡的情況持續，低音會一直讓 Compressor 動作，換句話說，你的低音一直在壓縮，那就是不太正常的狀況了。

06

游：在混音工作當中，老師對於整體聲音位置的規劃習慣是什麼？老師習慣的樂器、人聲（背景和聲）、節奏的比例原則是什麼？

小林：我認爲和弦的平衡永遠會比頻率的平衡還要重要，永遠都需要先把 Chord 的 Harmonic 抓出來，才能來談其他的部分。

舉例來說，鋼琴彈下去之後，鋼琴與 Bass 之間的 Balance、鋼琴跟 Guitar 的 Balance、鋼琴跟 Vocal 的 Balance，等到這些 Balance 都處理好後再去 Check 哪個頻率好、哪個頻率不好。

整個 Mix 我會從節奏組開始，比方說節奏組都是從 Overhead、Room 然後大鼓加起來、Check phase、小鼓加起來、Check phase 諸如此類的，先從根基開始打，然後是 Bass、鋼琴、Vocal，整個主題與 Foundation 出來後，其他東西跟著 Vocal 走，照著 Vocal 再來做平衡。當 Vocal 進來後，開始把

Guitar 推進來，聽聽看，Guitar 會不會與鋼琴有什麼干擾，然後鋼琴與 Bass 會不會有什麼干擾，然後 Vocal 跟鋼琴、Vocal 跟 Bass 等，一直在做這個循環。Vocal 絕對是一首歌的靈魂，所以不管今天面對的軌道有 200 軌或 300 軌，主題要趕快進來，這就是我處理 Panning 的方法。

因爲我小時候是在古典樂團裡吹奏 Saxophone，所以我覺得聆聽上的第一部、第二部才是我幾十年以來聽音樂的習慣，弦樂組我基本上會照著古典管弦樂團來排，Drumming 也是，我會習慣用觀眾的位置下去做擺放。原則上，整體一切的 Balance 我都會以 Audience perspective 觀眾視角來做擺放。只有鋼琴除外，因爲當你用觀眾視角時，鋼琴是左邊高音右邊低音，這樣聽起來眞的很奇怪啊！所以我習慣以左邊低音右邊高音的方式擺放鋼琴。

我是一個喜歡照顧 Vocal 的混音師，我希望大家在聽這首曲子時是聽到歌詞曲的本身，而不是混音的內容與技巧，我喜歡退一步躲在背後將主角推出去的感受，我每做一個動作、每推一點 Level，我都會從這首歌的主角下去做，爲他著想，我想讓大家聽到很好的 Vocal 與這首很好的歌曲，而不是我 Mix 的簽名、我 Mix 的味道，我的混音工作只是成就一首歌的一部分。

混音師對我而言就像是一個指揮，雖然站在舞台的正中間，但是你需要的是平衡整體的管弦樂樂團的 Balance，而不是讓某個樂器因爲你而摻了太多指揮家的情緒，指揮的用意在於重現演奏歌曲的情緒、呼吸，這才是最重要的事。

07

游：老師對於 Outboard 硬體效果器與 Plug-ins 軟體效果器的搭配比例順序與原則是什麼？

小林：當 Hardware 用完我就會用 Software 了……可是我很難用完耶（錄音室傳來一陣爆笑）！

Plug-in 是很方便，要 Record 或者要過帶什麼的都很方便，可是當我可以用 Analog console 來做 Summing 時，我可以得到的樂趣是軟體效果器完全無法比擬的。我可以東轉轉、西轉轉，用耳朵聽的方式來處理混音，而不是透過滑鼠點擊螢幕當中冰冷的旋鈕，或用看的方式來調整混音。每個人有每個人的手法，這也是類比與數位各自的優缺點，不見得 In the box 不好，也不見得在控台上 Mix down 就會很好。因此我還是想要強調，器材不是重點，音樂的本質才是聲音工程師該努力追求與完成的。

類比 Console mix down 有一個很大的缺點—時間就是金錢。Outboard 在修改上的確比較麻煩，因此每天 Mix 完的時候，我都會花一點時間將今天我處理的東西寫下來，像是我這軌 Insert 用了什麼效果器，這個效果器調了什麼東西。剛好我使用的 Console 又有 Total recall，所以我能夠 Save 和 Load，因此我會將一切全部記錄下來。

08

游：**一整張專輯當中，往往有著不同風格或者曲風的音樂，在此部分，如果老師擔任了多首曲子的混音師職務，老師都是怎麼依照歌曲之間的差異來進行混音工作的？**

小林：我一直認爲，要做一個專業的聲音工程師必須非常的穩定，你不能夠讓你的情緒影響了每一次的工作。你必須習慣你的工作方式，維持歌曲與歌曲之間的水準，這就是對我而言，處理多首曲目與每天面對混音時的唯一方式。

09

游：**老師在處理 MIDI 與真實樂器的搭配比例原則是什麼？**

小林：這問題牽扯到音樂曲風的層面非常的大，今天如果面對的是小品音樂，那 MIDI 一點反而能夠讓眞實樂器更加突顯音樂的情緒；可是今天要是標準的流行歌，太過單收的 String 就非常不適合了，因爲這時候大部分都是以比較 Grand 的弦樂當底。

我前兩天才 Mix 到一個非常好的編曲，裡面使用的虛擬弦樂也非常的棒，但就是哪裡怪怪的，因此製作人找了一個非常棒的小提琴家，一個人來拉了四個第一部，四個第二部，還拉了四個 Violia。所以以這個曲子爲例，要是你沒有 MIDI，這推開根本不能聽啊！以弦樂來說，一個人拉了 40 支與 40 個人拉一次，所產生的 Harmonic 和 Tuning 是完全不一樣的。讓眞實的弦樂與假的弦樂聽起來好像是共同一組演奏的，就是比例的原則，因此沒有所謂的比例。

10 游：如果老師只參與了混音階段，手上的聲音素材品質略差一些，老師會怎麼處理與製作呢？

小林：在沒有電腦的時候，能夠用 Drum machine 使用 Trigger 來把大鼓換掉；但在電腦時代後，有一大堆方式可以處理聲音 Replacing，像是 SoundReplacer、DrumRehab 和 Drumagog 等很多方式。我會透過這些效果器將聲音 Add 進來，而非直接 Replace，但就是要好好的 Check phase 的狀況。

◀ SoundReplacer

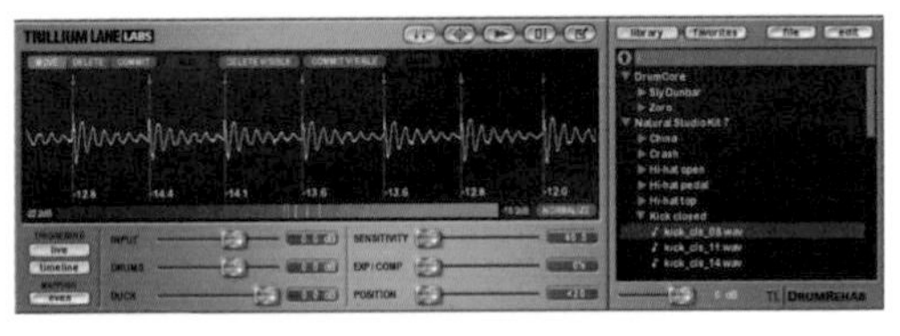

◀ DrumRehab

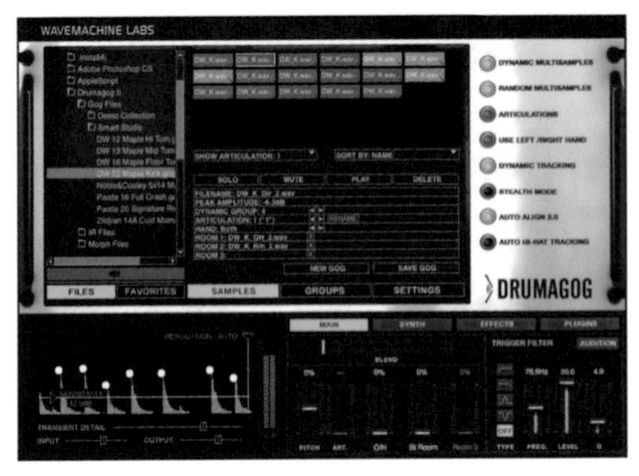

◀ Drumagog

過往的混音經驗分享

11

游：在過往混音工程的案件當中，令您記憶最深刻的案件為何？

小林：老實說，混音工作是很個人的工作，我們不太會與別人共事或者是一起工作，因此一直以來，我對於能夠看到大師工作，記憶便會特別的深，尤其是兩個我從小到大最喜歡的 Hero — Mick Guzauski 和 Bob Clearmountain，或者是 2004 年我帶著 F.I.R. 去倫敦找了 Mike Pela，我這輩子有幸能夠親眼看了他們的 Mix down，心裡面的激動是難以用言語形容的。這有點像是你準備了非常多的食材，交給了世界第一流的廚師，讓他料理，並給你品嚐，然後介於這樣的過程當中，也許你與他討論著辣椒多一點、鹽巴少一些等方式，我覺得這樣的溝通，才是真正讓音樂工作者學習到東西的方式。

12

游：一個正確的監聽環境是非常重要且必要的事，但如果因為現實因素導致無法每次都在相同空間環境混音，請問老師會怎麼克服這點？（舉例來說，需要與其他錄音室的合作、轉換錄音室繼續進行相同的作業等原因）

小林：我不曾直接到任何一個我不熟的地方就開始直接工作，我寧願不接這個案子，也不要慌慌張張地去 Mix 一首歌就回家。我載我的器材出發到一個不熟的工作地點的前一天，我一定會先去現場放我習慣的 CD Check 房間的 Acoustic。

13

游：對於新手音樂人可能無法擁有或者負擔進入錄音室以獲得正確的監聽環境，這樣的狀況下，老師有什麼建議或方式可以克服呢？

小林：即便是在建構當中的錄音室，你也無法得知喇叭在這個空間會有什麼樣的聲音，你的低音、高音、各個頻率的反射是不是很OK，所以沒有一個房間是有完整精確的喇叭。喇叭有各種設計方式，再加上每個房間出來的Response通通都不一樣，所以你必須依照你工作的習慣或者是工作的地點挑選一對適合工作的喇叭，然後跟一對爛喇叭，還有一個電腦喇叭，將自己的音樂拿來在不同系統輪流播放。

▲ 小林老師的工作地點，白金錄音室 P2 Studio

14

游：老師是怎麼整理自己的素材資料庫與 References ？

小林：沒有整理，哈哈！就是最近覺得這首 Mix 很好的我就會把它放進我的 CD 包。因爲每段時期我們所喜歡的聲音特性並不一樣，有些時期我喜歡很乾的音樂，但是很乾的音樂卻又不適合臺灣的音樂市場，而誰誰誰的混音又非常的溼，因此我的 References 還是比較依照每個階段時期，或以我喜愛的世界上的混音大師來分類，眞的沒有一定。

15

游：在混音工作當中，「溝通」往往是影響作品好壞的一個重要因素，請問老師在處理溝通這件事上的看法與想法？如果遇到不順心，製作人和老師又是怎麼溝通解決的呢？

小林：其實我相信，製作人他們習慣的音場或者音質不會比錄音室好，可是卻很難去說服他們。爲了讓彼此之間的溝通更爲順利，唯一的解決辦法就是擁有各種不同的播放媒體，彼此在同一個環境下比較與討論。我會準備非常多不同聆聽的喇叭，像是一般電腦喇叭、NS10、Auratone、耳機等，或者是我就直接 Send 給製作人的電腦聽，讓他使用他最常聆聽的工具檢測。

我的工作習慣與模式，一開始的確是會讓一些製作公司不習慣，但久了以後他們也能夠瞭解我工作的習慣就是今日事今日畢，製作人當日要ㄍㄧㄥ到再晚都沒關係，但是今日事今日畢。我真的很不喜歡今天的曲子檔明天聽，隔天聽我就覺得不好聽了！我是一個很糟糕的人（現場爆出一陣笑聲）！

現在很流行透過一款叫 Source-live 的軟體做 Online mixing，這樣當我處理國際的案子時，所有東西是連動的，我只要調整了某個軌道，對方 15 秒鐘後就可以直接聽到 Mp3 的音質成果。然後當我完成後，我會直接先寄一個 24bit/48kHz 標準的 Wave 給對方，完了以後對方再透過 Source-live 跟我進行討論。這套 Plug-in 還可以同時播放給五個人同步處理工作，因此不管這首曲子的製作人或歌手在世界何處，我們都可以一起討論，用以降低溝通上的阻礙。

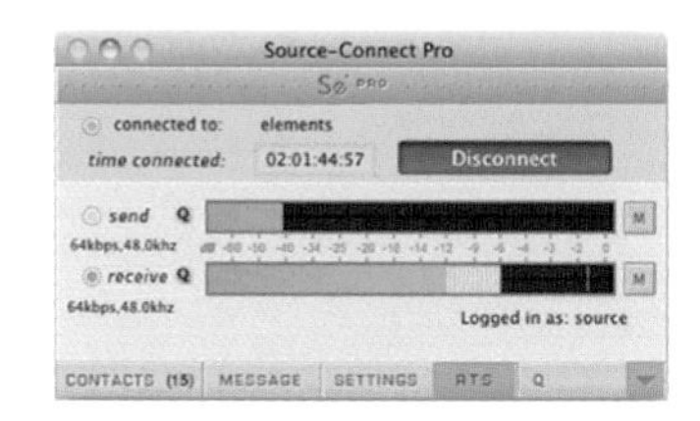

◀ Source-live Gateway

臺灣音樂產業的建議與想法

16

游：老師認為臺灣的混音製作成品與國外的混音製作成品最大的差異是什麼？

小林：二十幾年前左右，資深歌手張洪量老師有一首歌叫〈花蝴蝶〉，這張專輯在臺灣錄好之後是送去 Abbey Road Studio 處理混音的。當時在處理這張專輯的混音師面無表情的調整爵士鼓與 Bass 等樂器，然而，當那個 Engineer 推起了梆笛與二胡時，完全瘋了。對於西方文化的他們只聽過 Flute，並沒聽過這個聲響，還因此特地找了全 Abbey Road 的同事一起來享受這個聲音。因此差異的地方是什麼呢？我想是文化吧！流行音樂本來就都算是西方產物，但當他們的文化接觸到了東方文化的東西，也會因此感到興奮，因此一個文化的根基，通通都是不一樣的。

以音樂的本質來說，元素都是一樣的，所有音樂構成的樂器原理其實就是那些。當你仔細聆聽，日本有日本細細尖尖的味道，然後美國就是很壯的感受，英國就是怪怪的很有個性，這些都是文化在時間累積之下的成果。然而，這三十幾年來，臺灣的流行音樂也走出了一個屬於臺灣流行音樂的味道跟文化，這是經過大家長時間的努力，從民歌年代到滾石飛碟，再到近期的文青式與憤青式音樂等，各種組合造就了臺北成爲全世界華語音樂的發源地與重鎮。

17

游：臺灣的聲音工程學習環境相對於國外，門檻還是較高（不管是設備器材、資訊取得管道、學習師資等原因），這點也讓許多充滿熱忱想要學習聲音工程的年輕人不得其門而入，對於這點老師的建議或者想法是？

小林：在這時代已經有很多打破過去學習的方式了，早期只有大錄音室才能夠製作出好的唱片，然而這個迷思早就已經被打破了，當有個人工作室後，只要你做出來的唱片是好聽的、是會賣的，自然而然就會有人找你了。目前臺灣的年輕人幾乎都是上 YouTube 學習啊（錄音室爆出笑聲）！音樂學習與製作上並沒有什麼對錯，像我也會在 YouTube 上學習很多很棒的東西，但是，在接觸完這些訊息後，其實需要更多時間加以練習才是唯一辦法。

這一行有很多年輕人都去美國 Berklee、日本、英國或者是其他知名的混音聖地，我沒辦法解答說你去 Berklee 學完錄音後，回來就能夠馬上安安穩穩坐在錄音室裡面混音，這是不可能的事。我也沒辦法講我是怎麼開始一個 Mix down 的，這不是因爲我不說，而是因爲我認爲每個人都有屬於自己的個性與習慣，對於 Mix 的 Build up 是很個人的。我總是這樣開玩笑，你今天要用幾個 Plug-in，警察也不會把你抓去關啊（小林老師嘴角上揚笑著）！

18 **游：近年來隨著數位影音的蓬勃興起，臺灣的大專院校愈來愈多數位音樂等相關學程科系設立，這接連引出許多問題，像是學界礙於設備資訊與師資等問題導致學界、業界差異愈來愈大。而兩者之間又該如何銜接？**

小林： 有開端總比沒開端好，我覺得這是非常好的事情，以前唱片錄製跟製作是一個很封閉的世界，但是當 DAW 開始盛行後，你的聲音是透過非線性的方式錄到電腦裡面，也是有辦法做出很棒的音樂的。一個錄音室 Console 約兩千萬，還有一些 Outboard 與裝潢，加一加約四千萬；然而一台筆記型電腦八萬塊，再加買一對喇叭，也可以成立個人錄音室。價值比是很難判斷對或錯，不過一個非常正規的錄音跟一個很不正規的錄音，經過這個時代的 Mastering 後，大家都變得很大聲，能夠聽出來的細節差異是愈來愈小了，這是較悲觀的事。

即便現今大專院校的設備還是略顯不足，但是老實說，全世界的大型錄音室也都已經因為種種原因開始衰敗，再加上預算、經驗、能力、時間等原因，其實就算在錄音室當助理，也是很難擁有完善且完備的大型 Console 混音工作經驗，因此在這立足點上，只要好好的學習練功，我不認為學生 In the box 會與助理差到哪裡去。然而，即便聲音沒有所謂的對與錯，「如何讓下一代知道什麼是好的聲音」才是一件最重要的事。老話一句，我還是覺得「唱片才是永遠最好的老師」。

在現在百花齊放的狀況裡，我不認為現今數位音樂的世界，只有在大錄音室使用 Console 才有辦法做出好作品，當時代工業瓦解後，Console 的價值就漸漸地被很多數位化的東西取代了。但是在一個有歷史的錄音室工作，這一個行為動作所承載的，不僅只是你眼前所看到的這些器材、你所聽到的音符等，這房間承載的是幾萬首歌、幾千個製作人、幾百個 Engineers 在這房間工作，因此在大錄音室工作，你所需要承載的，是與這產業曼妙溝通的一個經過與過程，還有流行音樂的歷史與文化，還有你正在身歷其中的一個過程。

19

游：老師有什麼話想對剛接觸混音的音樂新鮮人說？或者可以給予什麼建議呢？

小林：怎麼樣培養出一個 Super star 的音樂工作者？必須天時、地利、人和，加上時間的累積、文化的堆疊、個人的努力、團隊合作，才有那麼一個可能性。

幕後工作者就該有幕後工作者該保有的樣子，不要多話，要多用眼睛看、多用耳朵聽，流行音樂沒有對錯，賣了就對了，只要賣了，製作人就會回來繼續找你做。所以我一直覺得，我現在這一點點成績，Mix 過幾千首歌到現在還是有機會坐在錄音室裡面工作，是幸運再加上非常努力。

有個製作人講過一句話：「不努力，完完全全沒有機會；要非常努力，才有那麼一點點的機會。」所以從以前到現在，我一直都在買 CD，因爲唱片就是最好的老師，必須隨著成長，在不同階段不斷地搜尋喜歡的作品。當你認眞去聽裡面的 Engineer，他自己的顏色與特色，認眞研究大師的 Interview，去解析他所講的字句，然後再聽他的作品唱片，就可以從裡面去找到蛛絲馬跡。我覺得我這二十幾年來最重要的老師，就是唱片跟比對分析。

大師專訪

鄭皓文

混音大師：鄭皓文
綽　　號：鄭拔
地　　點：G5 Studio／桃園市

鄭皓文老師，大家總是暱稱為鄭拔。對於獨特器材的偏愛，在業界是出了名的，就猶如他對於獨特聲音的堅持，從獨立音樂至商業唱片都可以看見他的影子。陳建騏、魏如萱、魏如昀、徐佳瑩、林宥嘉、陳建瑋、艾青、史茵茵、許郁瑛、聶琳、周嘉健老師、屏東泰武國小古謠傳唱隊、嘴哥樂團、激膚樂團、Hello Nico 等知名音樂人，都曾經為了獨特的 Tone 而與鄭拔合作。

▲ 許多獨立音樂的大推手，略帶羞澀的可愛鄭拔

我非常佩服鄭拔的作品，除了音樂本身的美妙奏唱，在每個小節的細節裡還可以聽見滿滿的額外驚喜，獨特的調性幫助了很多音樂發展出別具特色的生命。然而，我卻又因爲鄭拔在網路上的鋒利言詞與直言直語，感到一定程度的懼怕與距離。當採訪計畫啓動的同時，我立刻決定詢問鄭拔是否願意爲這本書分享他豐富的獨立音樂製作經驗，讓讀者除了商業唱片的製作觀之外，能夠多瞭解在面對不一樣音樂市場時的混音工作內容。

訪談當日從臺中搭火車北上，在中壢下了車，再轉區間車，終於到了楊梅，步出車站後，開始尋找 G5 Studio 所處的神祕地點。楊梅有著比臺北更多的綠田野地，卻又不失該有的都市繁華，在這樣的環境製作音樂一定很舒適吧？ G5 到底是何方神聖呢？終於，見到鄭拔時，映入眼簾的與網路上犀利的鄭拔截然不同，與我打招呼的是一個輕聲細語、客氣又笑容滿面的「父親」，我突然理解爲何業界的大家總是以「鄭拔」稱呼老師。

G5 Studio 該有的錄音器材或樂器樣樣不缺，「麻雀雖小，五臟俱全」就是 G5 的最佳形容詞。錄音室裡甚至擁有許多非常少見的 Lunch Box 500 系列硬體效果器。整個錄音室設計雖較其他臺北商業錄音室小，卻多了一份感受叫「溫馨」，要是有機會，我真的很想也在這錄音、混音呢！

混音本身的技術分享

01

游：請問老師通常習慣花多少時間 Mix 一首曲子？

鄭拔：這個問題其實很難說，要看這首歌的軌道數與結構層次。

以我常做的樂團來說，我覺得有時候反而是愈 Rough 愈好聽，愈 Detail 反而容易想太多。以一個 Live band 標準編制—鼓、吉他、Bass、Keyboard、Vocal 來說，爵士鼓和 Bass 大約半個小時到一個小時就一定要有整體架構形狀出來，以此類推其他支撐起整首歌曲的架構，主體大架構的 Balance 約 1 至 2 小時內就一定要搞定。這部分代表的是整首歌曲的精髓，有時候做太久反而容易迷失，多做多錯。然後開始處理 Effects 和拉 Automation 的小細節，像是 Vocal 的表情、吉他需不需要有層次？鼓組是不是有地方要做 Build up ？和聲要拉多開等的細節工作了。因此整個混音工作的工作時間差不多 5 個小時到 6 個小時吧！這還要包含休息的時間，這個很重要（錄音室裡燦爛笑聲表示認同）。

▲ G5 Studio

02

游：老師對於整個混音時間的分配比例大略為何？在開始一個全新的混音專案時，老師有沒有什麼自己特殊的工作習慣或處理專案的程序？

鄭拔：整個 Mixing 的關鍵其實是在第一關— Balance。

因此基本上我在處理 Mix 的過程當中，第一件事情是先不管所有聲音的 Tone，先抓 Rough，先把所有樂器的 Balance 抓出來是我的工作習慣。等到 Balance 差不多了，架構已經很清晰後，便開始設定 Group 分組，當分類完畢後，接著開始處理節奏類，然後是 Bass，再來是 Vocal，以此類推。

我常在混音上聽見別人提及一些迷思，像是怎麼調整或過怎樣的機器就可以得到 Perfect tone，也因此常常會去硬記一些規則或模式。對我而言，在混音裡面根本沒有所謂的 Perfect tone，而一定是相對 Tone。

當我在調整基礎 Balance 時有個小習慣，在處理鼓的時候我會將 Vocal 拉小 5 至 10dB，讓它的聲音小一點，但就是不會完全關掉，這樣的情況可以避免混音上的一個盲點—當每個樂器各別調整的時候都好爽、好好聽，但最後 Vocal 放進去卻變成四不像。再例如說，調整大鼓時，大鼓和 Vocal 的聲音可能都要打開，你才知道大鼓會掉到頻率的哪個洞裡，才能夠對應整體的頻率響應。因此我覺得，尋找相對 Tone 的重要性遠比尋找 Perfect tone 高。

03

游：老師最愛用的軟硬體 Compressor、EQ，空間效果器是什麼？為什麼？並且對於 Outboard 硬體效果器與 Plug-ins 軟體效果器的搭配比例順序與原則是什麼？

鄭拔：我在軟體效果器上使用的原則，主要就是用軟體來做 Cut，再搭配我的硬體去加。

換句話說，我都是在軟體上幫聲音挖洞，在硬體上幫聲音加顏色。礙於我主要的 DAW 系統是 Native Pro Tools，跑的 Plug-ins 基本上都需要吃 CPU 的資源，因此在我開始使用 Metric Halo 介面之前，其實就只是很單純地使用 Pro Tools 內建的 EQ3 7-Band，還有其他效果器來做些微控制。

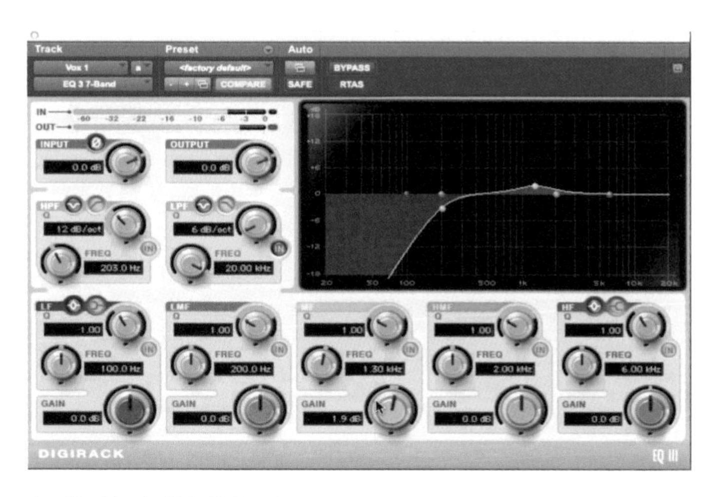

▲ Pro Tools EQ3 7-Band

然而，當時這樣的工作有一個很大的缺點一直困擾著我，那就是不管是 Pro Tools 還是其他款的效果器設計介面實在是太小了，我真的看得非常吃力，這也間接導致工作上的不順利。因此五、六年前，我將我的主介面 AD/DA 升級到 Metric Halo 後，我開始非常喜歡他們家的軟硬體整合，它有一個很棒的優點是當時其他效果器都還沒跟上的部分，就是它的畫面可以自行切換大小。這點對於長時間從事聲音領域的工程師來說超級重要，再加上它的內建頻譜儀的波形顯示，眞的非常的方便。當這點深深震撼並且打動我後，我所有的效果器就都是使用 Matric Halo Channel Strip，它就是簡單好用，又不占資源，讓很多事情變得非常容易，讓我可以更加 Focus 在混音工作的頻率表現上。

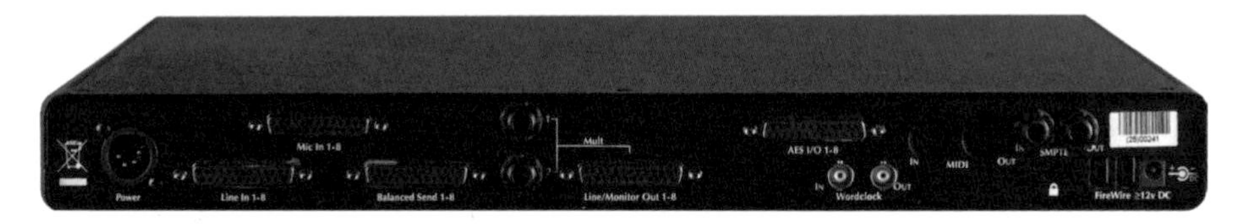

▲ Metric Halo ULN-8

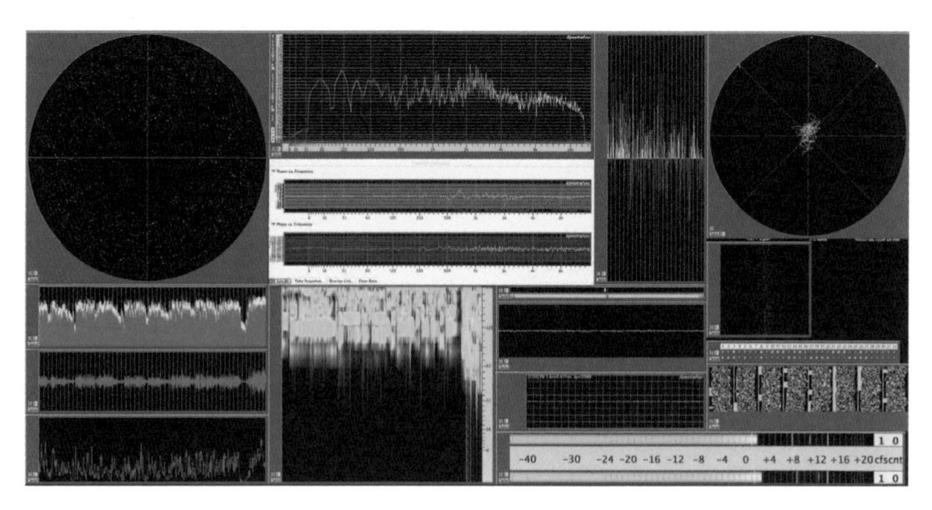

▲ Metric Halo 的頻譜

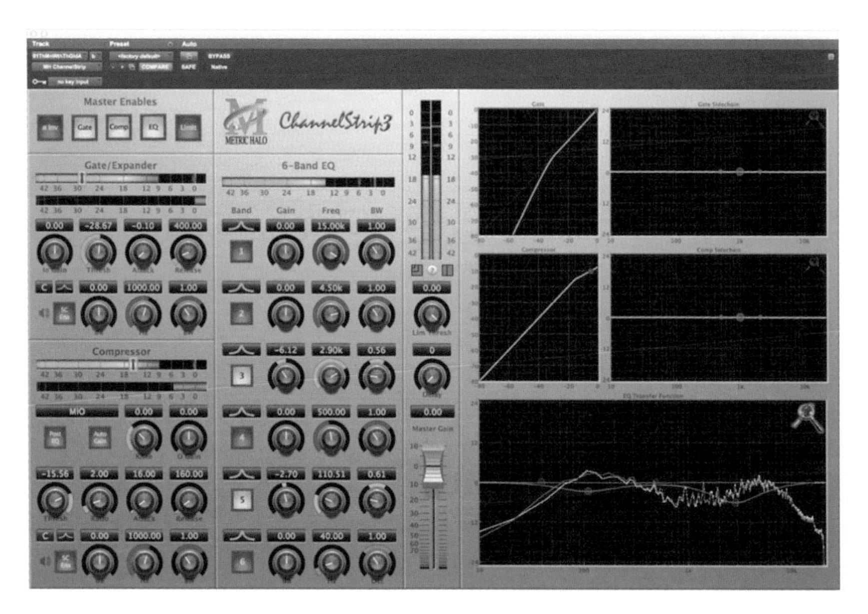

▲ Metric Halo Channel Strip

對於軟體效果器的使用其實非常精簡，除了 Metric Halo Channel Strip 以外，主要還有一套是我常在 Mastering 上使用的，但在某些 Mixing 階段我也會開它來使用，就是 Brainworx 的系列 bx_digital V2，當 Brainworx 在最初代版本時，我就購買了呢！

▲ Brainworx bx_digital V2

在軟硬體的使用比例來說，我通常是使用軟體來處理較不喜歡的聲音狀況，再透過硬體來增加聲音的 Harmonic 或是特色。在硬體效果器的挑選上我必須講，我算是一個比較特別的人，我喜歡玩別人沒有的東西、我喜歡調製獨一無二的 Tone。像是 Rupert Neve 設計的 Summit Audio 的 Mastering EQ 我就非常喜歡，微微的渲染，反應快速又犀利的聲音，加上是全 Analog 的聲音但卻擁有 Digital control，這點在錄音和混音上就很方便，協助我在混音上的記憶與操作，算是我最重要且最主要的 EQ。

▲ Summit Audio EQ MPE-200

我滿喜歡 Inductor EQ 的，透過挑選固定頻段再推，這樣出來的聲音就會非常的有顏色。像 Trident 這顆 EQ，用在鼓組的 Bus 上就非常的好聽，輕輕推個 3dB 聲音就出來了，推個 6dB 聲音就變暴力了，非常有趣，像這種感受就是使用單一軟體效果器做不出來的。又比如說，在 100Hz 的地方 Boost 一些，500Hz 稍微 Cut 一些，然後 3kHz 左右讓整組鼓組的輪廓清晰些，透過這顆 Trident 聲音就很大力、很好聽了。

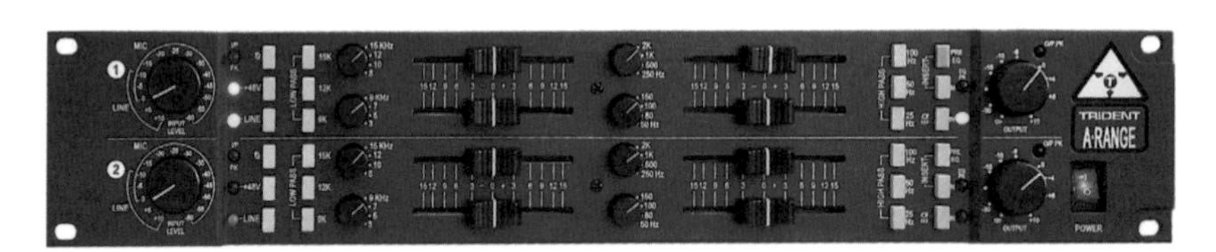

▲ Trident A-Range

▲ Dangerous Music Bax EQ

我比較不像一般的混音師這麼喜歡在 1176 上做壓縮，不是它不夠好，而是因爲它的 Ratio 最少就是 4:1 的比例，因此有些時候想要 Smooth 也不行，而且 1176 在操控上並不太適合我的混音製作習性，再加上我眞的是喜歡玩大家沒有的東西，這也是爲什麼我沒選擇 1176 的原因。

▲ Fet II Compressor

▲ Pendulum audio remote cutoff tube limiter

▲ TK BC2-ME Mastering Compressor

04

游： 老師對於 Compressor 與 EQ 前後順序的應用看法是什麼？

鄭拔： 這個事情其實沒有標準，它不一定。

我個人的做法還是EQ先，再進Compressor，再視情況EQ塑型，因爲我習慣先 Shape 聲音的形狀，再用 Compressor 推出去。

05

游：在混音工作當中，老師對於整體聲音音場位置的規劃習慣是什麼？老師習慣的樂器、人聲（背景和聲）、節奏的比例原則是什麼？

鄭拔：我覺得 Stereo image 在某個程度來說，算是 Mixing 裡最重要的事情。

在混音當中，其實很多時候光是好好地使用 Panning 象限擺位就可以解決非常多問題了，某個聲音也許你只需要擺偏掉，就不需要 EQ 了也不一定。在這樣的狀況下，可以得到非常多的好處，像是少用效果器用減法來做事情、減輕電腦的負擔、增加整個聲音在聆聽上的乾淨度。

我覺得當今天面對一個聲音七月多的時候（我驚問：老師您說七月多？），樂器的器樂多啦（錄音室裡爆出一陣歡笑）！可以盡量做較誇張的嘗試，避免每次都是卡在中間的狀況，因爲在面對 Stereo image 時，有一個很重要的問題，就是要避免 Big Mono。例如一個吉他是相同的 Riff 然後錄了兩軌，那其實可以嘗試很多方式，像是把它拉成極左極右，試著眞正打開整個聲音之類的做法，會發現更多無限的可能性，隨著創意調法延展出來。

我覺得身爲一個聲音工程師一定要有創意，當在做 Stereo image 時，絕對不能只看 Panning 而去做 Panning，不能只將 Pan 的極左與極右想成 100，再照等比例去分配器樂，這樣的 Sound image 通常會非常狹隘。在整個聲音圖像空間的模擬與營造上，一個聲音工程師要能夠把它想像成極左極右再往外出去各 50，它們彼此之間都是一個高頻率的延伸，不僅如此，你還要想像你的器樂是在什麼樣的空間環境演出，而 Stereo image 才有辦法靈活有彈性。

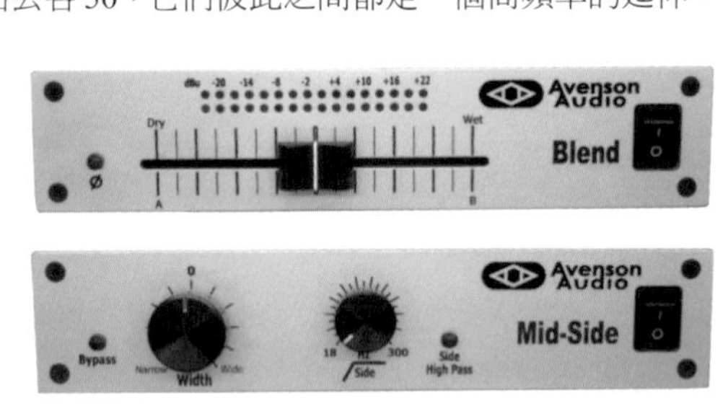

▲ Avenson Audio Blend & Mid-Side

06

游：一整張專輯當中，往往有著不同風格或者曲風的音樂，在此部分，如果老師擔任了多首曲子的混音師職務，老師都是怎麼依照歌曲之間的差異而進行混音工作的？

鄭拔：遇到這種狀況，我通常不會想太多，就是發揮創意、隨機應變的時候了（鄭拔臉上露出笑容），一般來說，比較需要擔心的問題是在 Mastering 階段，毋帶後期工程師在面對十首完全不一樣風格的作品時的狀況，我認爲在混音階段其實反而不要思考太多，因爲當你一想到這些，在混音時就會受到不必要的侷限。

07

游：老師在處理 MIDI 與真實樂器的搭配比例原則是什麼？

鄭拔：所謂的比例搭配，就是沒有比例搭配。

現在這個時代很多 MIDI 的音色，只要手法夠熟練、技巧夠純熟，其實是能夠做出以假亂眞的聲音的。不過能夠達到這個水準的演奏，編曲老師通常都是非常強的，如果今天一個獨立樂團拿了一個一聽就知道是 MIDI 所演奏的 MIDI Bass，我會很狠心的跟他們說，我不接受，你就是要彈眞的給我。

08

游：如果老師只參與了混音階段，手上的聲音素材品質略差些，老師會怎麼處理與製作呢？

鄭拔：如果今天眞的非不得已，面對一個只有 MIDI 素材的聲音檔，在素材的挑選上又沒有太多選擇的話，我通常會選擇讓聲音變髒。

例如說，今天我拿到一個素材是 MIDI 電吉他，那我就會在這軌上送一個 Aux，故意加一個類似 Amp 的 Plug-in，讓這個 Amp 的聲音有點像原始聲音的 Reverb 或 Harmonic，讓它的原始聲音與 Amp 的聲音混合在一起，藉此躲掉一些聲音品質較差又或者是純 MIDI 的音樂樂句。

然而，要是今天面對的是一個已經明顯錄壞的聲音，我會直接拒絕處理這個專案混音，因爲糟糕的聲音是沒辦法救的。我覺得有一個觀念是所有聲音工程師一定要搞清楚的，像 EQ 效果器這些東西，其實不管是什麼廠牌或多好的 EQ，當你擁有錄製得很好的聲音素材，它是怎麼調都很好聽的；但是如果原先的聲音素材就不好了，當然你也可以透過 EQ 去硬搞，但必然會失去聲音原先的自然度。

過往的混音經驗分享

09

游：老師過往混音工程的案件當中，令您記憶最深刻的案件為何？

鄭拔：這幾年來有個福音爵士歌手叫史茵茵，其實他這三張專輯都讓我感覺到非常的舒服，不需要特別去ㄍㄧㄥ的聲音，她的 Vocal 算是中低音頻率，一個很溫暖的聲音，在她的聲線當中，我就不用特別去尋找 Punch 或是硬要加某些頻率，在混音當中，我一直認爲舒服才是最重要的，不只是要仔細聽的舒服，要隨意聽也舒服，才是成功的混音。史茵茵的這幾張專輯，聽起來就非常的舒服，因此我混音時也很舒服。

10

游：一個正確的監聽環境是一件非常重要且必要的事，但如果因為現實因素導致無法每次都在相同空間環境進行混音，請問老師會怎麼克服這點？

鄭拔：Mixing 最重要的事情是椅子、滑鼠、螢幕、有沒有靠的扶手！這些事情跟 Mixing 一點關係都沒有，但卻影響你可以做多久和多投入 Mixing（錄音室發出燦爛笑聲）！回到這個問題，其實我會比較堅持在自己熟悉的錄音室執行混音，盡量不要去陌生的環境，因爲聲音在不同環境裡容易造成誤判。當作品最終需要掛上的是我的名字時，我會盡全力照顧好每一張專輯裡的每一首歌，因此，減輕誤判發生的機率與機會，我認爲是非常重要的。有時候，我認爲一個成功的 Mixing，很大的因素是在於舒服與習慣。必須在一個習慣的空間、習慣的器材、舒服的狀況，才能夠很快地融入聲音當中，才能夠眞正地發揮能力。

11

游：對於新手音樂人可能無法負擔進入錄音室擁有正確的監聽環境，老師有什麼建議或方式可以克服呢？

鄭拔： 沒有，請新手音樂人存錢是唯一的方式。

這句話聽起來很重，但是這個東西是聲音工程的一個門檻，是一個沒跨過就無法達成的事。

▲ 鄭拔收集的 Lunch box 500 系列效果器

12

游：老師是怎麼整理自己的素材資料庫與 References ?

鄭拔： 我的 Reference 分類大部分都是依照我對於頻率的喜好下去做。

例如說，我要混一首低頻爲重點的歌曲時，我就會拿出我收集的一、兩首在定音鼓上非常漂亮的 CD 來聽。然而，在混音工作上，我還是會依照製作人的 Reference 爲主，盡量完成案件所需求的形狀。當我會拿起我的 Reference 時，通常都是我有困惑或者是疑惑時，我才會依賴這些 Reference，才會拿出來做爲選擇頻率的判定依據。當然我也是有依照曲風分類的 Reference，像是當需要比較 Rock 的音樂時，我就會找 Queen、Van Halan、Pantara 等，因爲這幾個團都是經典的 Rock band，然後我再以他們的頻率緊實程度來做混音上的調性挑選與判定。

◀ 認真工作的鄭拔

13

游：在混音工作當中，「溝通」往往是影響作品好壞的一個重要因素，請問老師在處理溝通這件事上的看法與想法？如果遇到不順心，製作人和老師又是怎麼溝通解決的呢？

鄭拔：這個問題牽扯到我要不要介入這個團或這個製作人的製作，當我想要較積極參與這個專案進行時，通常我會拿一些我的 Reference 參與討論，告訴他們這首曲子可以玩到什麼方向或程度，然後彼此討論出一個中間值，但這個中間值還是會偏往他們的方向走；如果我沒有要介入這首曲子太多，只是進行一般的混音案件，通常我就是參照曲目的 Reference 下去做調整。

可是有些地方我是堅決不讓的，那就是 Vocal。舉例來說，獨立樂團通常都會拿外國的樂團 Reference 給我，希望我做出相同的感受，但是這個問題牽扯到文化與語言的關係，像是在中文裡的文字通常會扯到四聲或平仄，因此有些調性不是我不做給你，是因爲我們中文文字的聲音本來就是比較難推出來。因此像是過往當中，有時候在一些歌曲裡，某個頻率嘴型的 S 還是相關狀態，我就會堅持要推出來，這點我是不會讓的。

在溝通上，雙方若眞的無法達成共識，我眞的認爲彼此不要合作對這首曲子比較好。製作人今天來找我，不就是要我的自然與 Smooth 嗎？如果你今天又要求我 Mix 成哪個人的樣子時，我會請製作人另外去尋找較適合這首曲子的混音師。

臺灣音樂產業的建議與想法

14

游：老師認為臺灣的混音製作成品與國外的混音製作成品最大的差異是什麼？

鄭拔：老實說我不認爲我們的產品跟他們的比有差到哪裡去耶！舉例來說，像我們臺灣也是有 K 哥、小林老師等那些很厲害的幕後工作者，他們的功力並不會輸給世界上其他的混音師。只是這個問題必須牽扯到剛剛提及的語言還有文化，進而影響混音製作上的呈現，另外還有市場 Database 差異很大。

舉例來說，全世界都可以聽到韓國人的韓國音樂，他們其實並沒有在管語言所造成的銷售差異；反觀臺灣，臺灣人的華語音樂給誰聽？中國、大馬、臺灣，那全世界呢？當這個情形發生了之後，在臺灣這個環境裡，歌曲的播放程度會影響到人對於這首歌曲的印象值，這會連帶道出我們的作品好像沒有他們紅，也就會想成「我們的作品沒有他們好」，我覺得這是一個市場連帶影響思考的問題。

15

游：臺灣的聲音工程學習環境相對於國外，門檻還是較高（不管是設備器材、資訊取得管道、學習師資等原因），這點也讓許多充滿熱忱想要學習聲音工程的年輕人不得其門而入，對於這點老師的建議或者想法是？

鄭拔：老實說，學會 Pro Tools 或者是學會什麼軟體操作，其實眞的不代表什麼，會 Avid Pro Tools 跟會 Office Word 是差不多的，這點是這些興起的數位音樂科系該注意也該學習的。

聲音工程所牽涉的層面眞的太廣了。舉例來說，今天我們在混音工程當中處理的這些硬體，其實都是在控管電流、改變電流，而不是處理聲音，聲音指的是最終喇叭所播放出來的才是聲音。聲音工程師改變了電流當中的某些構成因素，像是阻抗變化或是 OP 放大之類的，以便最終播放出來時聽得到預想的聲音差異，這點眞的是沒做過研究的人所不知道的。當一個聲音工程師要懂的不僅只是錄音或 Pro Tools，還有基礎聲學、電學等學問，如今這些應用音樂科技等科系，有學這些嗎？然後眞的懂這些嗎？

我認為，要學聲音工程，除了錄音軟體之外，得先瞭解電學、聲學、器樂學、樂理等，還要能夠注意到美學與科學之間的轉換，這些領域都是需要學習的。在執行聲音工程時，軟體的應用充其量只能說是一個工具，並不是主軸。

◀ G5 Studio 雖小卻五臟俱全

16

游：近年來隨著數位影音的蓬勃興起，臺灣的大專院校愈來愈多數位音樂等相關學程科系設立，這接連引出許多問題，像是學界礙於設備資訊與師資等問題導致學界、業界差異愈來愈大。而兩者之間又該如何銜接？

鄭拔：華人音樂市場裡的兩塊主力—中國大陸與臺灣。中國大陸在器材上超越我們已經不是什麼不能說的祕密，然而我認為他們的人材在五年內也會超越我們，這個問題是臺灣音樂產業與學界都需要注意與擔心的一點。

這些新興科系都有著較大的盲點，就是在聲音工程領域來說，其實夾帶的範圍是很廣的，像是歌曲創作、錄音工程、混音製作、母帶後期處理、電學與器材設計、現場成音、演唱會 Live、音樂基礎……太多的因素環環相扣。然而目前這些科系，究竟是想要 Focus 在哪一個領域？在時間、器材，還有師資的限制之下，這就是目前臺灣聲音工程教育的一個非常大的盲點，什麼都想做，卻忘了仔細思考一切該有的細節。當然，這些原因可能是因爲設備、可能是因爲師資、可能是因爲想法與系統，而這種種因素累積之下的結果，便造成了文憑與實戰之間實在是差太多了。

其實如果我需要額外再收助理，我反而希望他是一張白紙，我才能夠從頭教起，教導一些實戰與經驗的結合。在新興科系環境下長大的學生，往往是一知半解，再加上沒有實戰經驗，不一定擁有眞正能派上用場的聲音相關技能。聲音工程領域與其他產業差異較大的問題就是，當中有太多知識與經驗是書本上所學習不到的，因此有關這個問題的銜接，我必須老實說，目前還沒有任何一個保障或證明他們修完了這些應用音樂科系之後，就能夠安穩就業，不管擁有什麼證照都一樣。

那學界與業界該如何建立起一個基本的銜接管道呢？我覺得最有效的方法就是要看政府態度，要是政府沒有想辦法從最基本的地方開始加入音樂科技教育的研發，要想成功是不可能的事情。

先不談音樂科技的領域，例如說我們國家在很多科技型的產業裡都有所謂的國家型研究室，以開發高科技產品或進行相關研究，因此才能夠不斷地滾動革新與創新。我個人一直有一個 idea，我覺得國家一定要建立一個國家級錄音室，這個錄音室是國家所擁有的。國家錄音室主要的功能是租借給臺灣大專院校進行教學工作、執行政府音樂文化補助案，並且能夠提供學術界實際操練的戰場。再加上，如果國家錄音室的建立順利的話，政府能夠有效的整合並尋找臺灣 10 位知名的聲音工程師並簽約，讓他們以專案處理的方式，來結合實習學生於國家錄音室錄製眞正的專輯（這還能夠結合目前文化部每一年補助樂團的項目，做一個眞正結合聲音產業與學界的契機），這絕對會是一個很棒的產業與學界的結合方式。

大師專訪

鍾國泰

混音大師：鍾國泰
綽　　號：鍾哥
地　　點：Sunny café ／臺北市

鍾哥在華語流行音樂產業這三十餘年，風格也隨著產業的變化，練就了藝術美學與科技技術結合的高超能力。他的混音資歷豐沛，張惠妹、蔡依林、李玟、梁靜茹、蔡健雅、S.H.E、蕭亞軒、劉德華、張學友、張國榮、王力宏、任賢齊、F4等都是爭相與鍾哥合作的知名歌手，也爲鍾哥鑲上「華語傳奇混音師」的封號。這三十年來，流行音樂產業的起承轉合，鍾哥絕對是扮演關鍵角色的大師之一，所以才得以被尊稱爲「臺灣流行音樂教科書」。

▲ 號稱「臺灣流行音樂教科書」的鍾國泰老師，在嚴肅拘謹的容貌下，卻是意想不到的風趣健談

當初決定要訪談鍾哥時，其實我是緊張無比的，鍾哥除了對於聲音的理論與實務的敏銳之外，特別注重人與人的關係。在撰寫這本書之前，我並不認識老師，是特別透過大禾音樂製作公司的林尚德總監幫忙，才聯繫上鍾哥。當下深怕自己的態度不得體，甚至於想要不自量力地出版混音書籍的念頭會造成鍾哥對我的印象不佳。然而這一切在接觸到鍾哥的瞬間馬上煙消雲散。據阿德總監轉述，鐘哥在聽到我的想法之後直說：「我欣然接受，我願意幫忙！」也算幫我在訪談之前打了劑強心針。與鍾哥見面的當天，鍾哥出乎意料的健談與親切，讓我在整場訪談當中，總算是放下心中的重擔，除了原先就該詳問的專業內容之外，更學習到老師不斷在嘴邊反覆提醒的諍言，溝通與做人的影響力，遠遠勝過於混音作品的呈現。

混音本身的技術分享

01

游：請問老師通常習慣花多少時間 Mix 一首曲子？

鍾哥：這個講出來可能會是個笑話。通常下午兩點鐘開始接觸一個混音 case，你要在下午四點鐘就把音樂搞清楚，傍晚六點鐘的時候就要把 Vocal 處理進音樂裡，看清楚整首歌的樣子了，晚飯之後，所有的東西都要就位了，十點鐘之前就一定要收攤，因爲通常製作人都會在這時候進到錄音室。

這中間的流程要是有那麼一點點的閃失，今天就一定要到半夜了，這就是我通常的工作流程。

02

游：老師對於整個混音時間的分配比例大略為何？在開始一個全新的混音專案時，老師有沒有什麼自己特殊的工作習慣或處理專案的程序？

鍾哥：我一定會在兩小時內處理好歌曲的 Balance，因爲一個音樂的型態是這樣的，你沒有 Balance 的時候就不會有 Grooving。像我剛提到的，四點鐘的時候，歌曲的 Balance 雖然出來了，但不代表音樂全出來了，而是代表你要開始享受那個 Grooving 的時候，那個 Grooving 是不斷在 Vocal、在和聲、在所有樂器中間一直不停地交錯，從中間的交錯產生的共鳴，那才是花時間的事呢！

其實混音就像是一個藍本，你需要找到一個屬於每一首歌曲的藍本，再從中發揮。在開始一個專案的時候，我一定會將全部的軌道推成一個直線，合起來全部一起聽一次，只有全部合在一起聽，那個 Tone 才是對的，而在這樣的亂數之中，自然而然會找到屬於你自己的路。

03 游：最愛用的軟硬體 Compressor 是什麼？對於 Outboard 硬體效果器與 Plug-ins 軟體效果器的搭配比例順序與原則是什麼？

鍾哥：我的觀念裡面只有一句話:「沒有不好的機器，只有不會用的人」。

我喜歡兩個 Compressor，一個叫 Tube-tech，一個叫 1176，一個壓縮的速度快，另一個則是軟。如果今天要 Mix rock 的曲風，我就會選擇電晶體速度快的 Tube-tech；然而今天面對的是古典樂的曲風，我就會要求軟。

▲ Tube-tech CL 1B

▲ Urei 1176

Digital compressor 和 Analog compressor 最大的不同，就是 Analog compressor 有 Gap。有 Gap 的意思就是，當 Compressor 每一個動作的動跟回，都會讓你聽見一個格子、一個格子，一個 Level、一個 Level 的間隙。而這點在 Digital compressor 上並不會發生，它是很平調的。由此來說，當今天面對一個很棘手的樂器，需要讓它平均化時，就使用 Digital compressor。總歸一句話，Digital compressor 沒有不好，它也是很棒的。

04

游：最愛用的軟硬體 EQ 是什麼？為什麼？

鍾哥：其實 EQ 好不好，已經沒有像早期那樣的明顯了，反而現在任務性的功用愈來愈強。

早期大家把 EQ 看的如此重要的原因，可以歸咎在麥克風不好、錄音室環境不好。可是現在呢？麥克風一支比一支好，Response 幾乎已經到了平平平的狀況，空間也好得一塌糊塗，因爲都是運算出來的，這種情況之下，變成你 Tracking 進來的聲音，已經愈來愈完美了，在這樣的情況之下，EQ 已經變成任務型的動作。

對於任務型動作，我想到了一個當年卡代年代時的小小笑話。當時把母帶送到了卡帶工廠去，結果卡帶生產出來的時候就開始罵操作員有沒有額外動我的 EQ，怎麼聲音變成這樣！於是我半夜潛入了卡帶工廠的母帶室去檢查，結果我的母帶眞的被額外動了 EQ！後來的結果是，當年要過高速盤帶一定要過高速用的母帶，而在轉的過程當中，必然會有機器的 Lost，因此需要透過 EQ 來補償，這就稱爲「任務性」。回到現在，EQ 任務性的比例是滿重的。舉例來說，你的 Vocal 單獨聽是滿漂亮的，可是當下到 Backing 裡面去時聲音就會變了，它就會被吃掉了，此時必然需要使用 EQ 來補償，這叫任務性。

在任務性上來說，談論 EQ 時大家都非常喜歡提及 GML 的 EQ，它在處理 Rock 的曲風上，低渲染，反應又非常快速；可是相對的就古典樂的角度來說，它卻又太狠、太直接了。這時問題就出來了，它這樣算好還是壞呢？聲音是沒有好壞的。舉例來說，EQ 加 10dB 的時候，馬上知道 GML 的好，知道哪個品牌的不好，爲什麼雜音這麼大。但是當收進來的聲音，每一個聲音大家都要減 10dB 的時候，就都一樣了。這代表說 Tracking 才是最重要的。

05 游：最愛用的軟硬體空間效果器是什麼？為什麼？

鍾哥：這可以聊到早年在當助理的時候，時常會在大師混完音後收拾器材，此時都會順便做筆記，也造成了筆記本上面常常會抄到人家的數字，這教育我一件事，就是千萬不要慣用，因爲你會被後頭的人嘲笑。因爲助理會告訴其他助理：「我就知道哪個大師又是用幾號的！我就知道他的 25 軌 Vocal 又是用 Lexicon 480 ！」我們當年笑過別人，因此導致自己在空間效果器上的使用訓練出沒有慣性的動作。

沒有慣性其實也是有缺點的，就是你的品質不會保持穩定。不過這點其實也不用擔心，因爲當 Source 不一樣時，即便是同樣的數字記錄，也會調出完全不一樣的效果。這樣講好了，我們曾經認爲 Mariah Carey 在廣告上用的那支 800 機聲音好好聽，於是我們也買了 800 機回家，希望能夠找出 Mariah Carey 的聲音，但事實上是……（鍾哥露出微笑）；再來一個，Lexicon 480 當年是找了 Celine Dion 來試，試出這個 Vocal 太好聽了，於是我也買了 Lexicon 480 回家，打開我當時的 Program 並套用 480 的效果，指望出現的就是大師級的 Echo，只是當然是不可能的！唯一可能的就是唱的人要唱得像！這衍生出一個很有趣的話題，有點像先有雞還是先有蛋的問題，要先把原 Tone 處理好，才會有好的 Echo。而不是原 Tone 沒處理好，卻將 Echo 上的參數調得亂七八糟，因爲這些機器的 Preset 都算是最佳狀態了。

當今天在處理古典搖滾或者是抒情歌時，通常這類的 Vocal 都是在比空間的，而 Lexicon 的聲音聽起來又比較 Live，因此聲音的殘響會比較現場，也就非他莫屬了；但當今天處理的是 Hip-hop，它的 Vocal 幾乎等於乾的，但卻加了很短的 Short delay，這種情況之下，任何一款 Effect 都辦得到。

06

游：老師對於 Compressor 與 EQ 前後順序的應用看法是什麼？

鍾哥：我們先講 Compressor 好了，在 Compressor 的使用上可以分為壓頻率與壓音量兩種。其中百分之九十九點九在講的都是壓音量，但是有一些字，像是臺灣的國罵，在情緒上、力道上，用音量是絕對傷害它的聲音的，這就是我們國語歌碰到最有學問的地方，你的 Compressor 要用到別人聽不出來。如果今天要壓頻率，EQ 就是要放前面了，如果你是想壓音量，EQ 放哪就都可以。這也就是我剛稱 EQ 為任務性的原因之一。這跟自助餐很像，要先拿這個菜還是拿那個菜，完全看自己。

你知道 Compressor 是有 Attack 這個參數的，然而 Attack 其實是很傷 Vocal 的一個武器，為了能夠避掉 Attack 的影響，這也是把 EQ 放前面的原因。甚至於今天整首歌，只有一個字太衝，那個字又在這個 Vocal 整首歌中出現了 100 次，我們不可能為了這 100 次一直在 Fader 上做音量，這個時候就要使用 EQ 去告訴 Compressor，那個字我們要壓。

07

游：在混音工作當中，老師對於整體 Sound image 的規劃習慣是什麼？老師習慣的樂器、人聲（背景和聲）、節奏的比例原則是什麼？

鍾哥：Live 的時候，鼓手通常在舞台的正中間，因此今天在處理歌曲混音時，其實就在於你把自己當成 Audience 還是 Drummer ？這個沒有對錯。我的習慣是當觀眾，由觀眾視角下去做整個歌曲的擺放，但 Hi-hat 擺哪裡呢？先看左邊、右邊都沒東西，Hi-hat 就放旁邊補空位。因此我認為在討論 Panning 時，還是要看所有的音樂出來之後，這時誰在左邊、誰在右邊就會決定了。當處理這件事情時，其實是能夠變的，沒有人規定說東西擺位都一定要開在那裡！電腦有 Automation 在上面，你可以把它設置為 Read 或 Write 模式，答案就在這裡。

然而，弦樂一、二部的工法是合在一起呢？還是對句呢？才是影響我在擺放弦樂的重點。然而整首歌曲的擺放，連不連帶鋼琴通常會是非常重要的。如果有鋼琴的時候，音爬到高音進去時，你自然而然就知道 Pan 或高音是否要對它了，這時只要弦樂一縮，位置就都好辦了，因爲鋼琴在前面障眼，往內去補，所有問題就都解決了；可是問題在於這首曲子沒有鋼琴，當你要 Pan 全開時，位置是怎麼定義的？這中間電吉他可能會出現一些插音或修飾音，它音階的 Range 在什麼位置？你的 Pan 決定在什麼位置？什麼弦樂又去對它？

▲ 白金錄音室一角

08

游：因為鋼琴的頻率廣，所以面對這問題時只要注意到頻率不打架，加上可以對補，以頻率來放位置，以這個論點做延伸，您會因為右邊有 Violin 了，所以左邊也放一個 Acoustic guitar solo 來補嗎？

鍾哥：這個問題很好，你不能將 Acoustic guitar solo 放到左邊去，因爲 Vocal 沒有保護，所以你的 Guitar 又回來了。但是你的 Echo 方向呢？你可以往那邊跑啊，所以這問題就解決了。就像是一個天秤，在左邊跟右邊的重量都一樣的狀況下，你怎麼做都是可以的。

在這領域的重點就是，當你帶著耳機聽完的時候，你頭不會歪掉即可。

09

游：原來這些在做 Balance 的時候真的都沒有一定，那是否會因為昨晚聽了哪首歌後就受影響呢？這樣是否會影響到 Mixing engineer 的情緒，進而影響了工作？

鍾哥：像我個人聽歌的習性有點誇張。舉例來說，韓國歌是我 2014 到 16 年的偏好，但是聽歐洲歌曲，尤其是北歐的音樂，則是我一直以來的樂趣，德國的搖滾，尤其是 Metal 特別好聽；我也喜歡美國的重金屬，充滿了爆發力；南美洲的慢歌，尤其是巴西那邊的音樂也很好，但是我沒辦法接受蘇俄的流行音樂，跟他們的伏特加一樣，太過於兇悍（笑）。

在我私人時間聽音樂是情緒的，但是在混音的時候，一推出來，腦筋裡面放的是樂理，而不是 Emotional。譬如說，你會知道大鼓跟小鼓的音量，什麼叫做對比；大鼓跟 Bass 的音量，什麼叫做對比；所有的東西都有按照歌曲藍本的比例，所以比例一定要先找到！

10

游：一整張專輯當中，往往有著不同風格或者曲風的音樂，在此部分，如果老師擔任了多首曲子的混音師職務，都是怎麼依照歌曲之間的差異而進行混音工作的？

鍾哥：大家都做過 Mastering，Mastering 最令人頭痛的就是 Vocal 音量的大小，爲了避免 Mastering 時才把 Vocal mix 和 Backing 拿起來重組，這是很糟糕的事情。所以就變成在 Mixing 的時候，後頭在 Mix 一定要回去聽前一首歌中你 Vocal 跟樂隊的比例，這是一定要注意到的問題。

11

游：老師在處理 MIDI 與真實樂器的搭配比例原則是什麼？

鍾哥：MIDI 跟眞的弦樂，通常到最後講究的是位置站得好不好。

當位置站得很好時，會比起用力的動 Fader 推表情來得好。當位置站好了就會感人，位置站不好，你再怎麼推人家都只會覺得做作。爲什麼呢？這牽扯到一個問題— Close，如果東西是處在 Close 的狀況下，就可以先抓人家的焦點，在耳朵聽得到的狀況下自然而然就會接受，而不是以音量去拼命。

位置站對了，一切就都很好處理了，像是 Vocal 比 Hi-hat 亮度多一點，注意不要被 Hi-hat 打到就夠啦！你的中頻，又比小鼓多一點，不要被小鼓打到就好了；至於你的低頻，就是看整首歌的歌詞了。

12

游：如果老師只參與了混音階段，手上的聲音素材品質略差些，會怎麼處理與製作呢？

鍾哥：你知道在我們這領域常聽到 Garbage in garbage out 這句話。

Garbage 是內涵，它外面一定有包裝紙，你能夠用包裝紙包裝得很漂亮，這個商品的外觀就很好，至於將包裝紙撕開後的事情就是消費者的事了。我們就像是做包裝紙的工作，這就是混音。外觀永遠都要做到具創意跟夠漂亮，當不能夠說漂亮的時候，創意就很重要了。在這狀況下，品質略差的音樂，還是音樂啊！裡面還是有很多的音質、音色與表情。這時候去誇張、發揚光大歌曲本身的涵義，才是重要的事，不能夠被綁死在音質本身，就像是攝影，柔焦、美肌、大光圈等都是能夠拿來 Mixing 的。

我講個笑話好了，每當 Vocal 進到副歌的第一句，若第一個字押韻押「一」這個字時，那你的 EQ 用 GML 也是沒用的，因此有

▲ 白金錄音室一角

時候在混音上重視原創是很重要的事。還有一個例子就是，主歌到副歌的時候，樂器的總數量都一樣，那你指望歌曲進到副歌時有一種煥然一新的感覺是不可能的事，因此混音很多情況是量力而爲的。

過往的混音經驗分享

13

游：一個正確的監聽環境是一件非常重要且必要的事，但如果因為現實因素導致無法每次都在相同空間環境混音，請問老師會怎麼克服這點？

鍾哥：我自己在錄音室工作，我知道眞正專業錄音室跟宅咪最大的差異就是 Hi-end 和 Low-end。因此關於這個問題，我認爲取決於你要不要這兩個區塊的聲音，如果不要，宅咪就好了，如果需要，拜託你專業一點！

在聲音的屬性當中，高頻最快也最直接，而聽不到的都是低頻，但卻感覺得到。因此進到每一個房間時，喇叭的小聲到大聲都要檢查。試著讓三個頻率高中低頻同時間到，握住這個原則，誤差率是不會太大的，如果今天真的有誤差值時，就取一半中間值。再來就是最大的一點，我們在 Mix 歌曲時，一定要留很大的空間給 Mastering，這非常重要，像老外通常都會留 -3dB 左右的空間。

14

游：對於新手音樂人可能無法負擔進入錄音室擁有正確的監聽環境，老師有什麼建議或方式可以克服呢？

鍾哥：關於這點我真的要這樣講，基礎教育是免不了的，也就是說，一個健全的音響環境真的是要用錢解決的，它不是說犧牲你的耳朵去容忍就辦得到的。

15

游：老師是怎麼整理自己的 Sample 素材資料庫與 References 資料庫？

鍾哥：在我的工作習慣當中，通常在下午兩點到四點將 Balance 做出來的原因，包含了這時間內還必須去找其他的參考 Reference，這很重要，你一定要先找到一個小小的範本，依據這個範本去發揮，這樣出錯的機率就不會太高。

在混音工作當中，最常換的就是大鼓、小鼓，有些錄音師是一聽完，只要音色不滿意就馬上更換，也有少部分的錄音師在聽完後，認爲少了哪個部分就補哪個部分，少了力道就補力道。因此通常我聽歌和聽素材都會有一個習慣，會在聲音檔案上面加括弧，在上面附註非常多的資訊以便我隨時取用。而我的 Reference 上面不但有曲風，還加上年代、國家與備考，就像是圖書管理一樣。

▲ 白金錄音室一角

16

游：在混音工作當中，「溝通」往往是影響作品好壞的一個重要因素，請問老師在處理溝通這件事上的看法與想法？如果遇到不順心，製作人和老師又是怎麼溝通解決的呢？

鍾哥：今天跟音樂人溝通，當你第一句話沒有說服人家，你就準備開始當服務業；當人家提出任何對於你混音作品上的疑問時，你需要的是一句話就把人家解決掉。這就像推銷東西一樣，在推銷商品時，當對方馬上就說「不」，要從「不」變成「要」是很困難的一件事情。因爲我們的工作上所接觸的都是音樂人，因此溝通上如果不是使用音樂的語言下去溝通，人家怎麼會接受呢？這不是用直覺就可以溝通的。

臺灣音樂產業的建議與想法

17

游：老師認為臺灣的混音製作與國外的混音製作和學習環境最大的差異是什麼？

鍾哥：顏色。

我們的音樂總是缺乏了些顏色，編曲在編的時候還算是有些許在公式化的狀況存在，而混音時，混音師的工作就是在於賦予這些聲音和別人不一樣的顏色，這就是在混音成品上最需要去努力思考的。在器材的差異上，其實國內的器材與國外的設備差異是非常小的，尤其 Pro Tools 出來後，拉近了全球音樂混音的距離，幾乎是沒什麼差異了。

18

游：臺灣的聲音工程學習環境相對於國外，門檻還是較高（不管是設備器材、資訊取得管道、學習師資等原因），這點也讓許多充滿熱忱想要學習聲音工程的年輕人不得其門而入，對於這點老師的建議或者想法是？

鍾哥：我認爲這點還是要回歸到本質，本質非常重要。

你知道身爲一個外國人，他們一輩子當中可能只有一個願望，他們只要努力把那個願望達成，就會認爲這輩子滿意了。但反觀臺灣，爲什麼我們的小孩子有 20 個、30 個、40 個、50 個願望，那麼多願望你到底要哪一個？事情當然永遠都做不好。國外的訊息與雜誌是相當多的，但這就像你一天打開電腦你可以看十幾本雜誌，但你看完以後，每本雜誌、每本書籍講的都是不一樣的事情，哪一個是對的？在國外擅長處理搖滾的人，他只會處理 Mix rock，給他流行歌不一定會處理的好。爲什麼？因爲他非常專注在做一件事情，然後做得很好。錄音有一句名言：「錄音只有一條捷徑，那就是沒有捷徑」。

若談到學習錄音，在美國，首先你必須當一個免錢的助理、當一個跑腿，幫人家買咖啡。然後，第二個是學習如何與客戶打好公共關係，客戶將來有機會的時候會不會想到你？因此，若人際關係都學不好，還需要學架麥克風和學混音嗎？

19

游：近年來隨著數位影音的蓬勃興起，臺灣的大專院校愈來愈多數位音樂等相關學程科系設立，這接連引出許多問題，像是學界礙於設備資訊與師資等問題導致學界、業界差異愈來愈大。而兩者之間又該如何銜接？

鍾哥：其實有關於「教育」這兩個字，已經不是我們這些線上工作的人說一句話就能夠改變的事情了，這必須從整個錄音教育面來看、來談，但目前看來，我必須老實說整個整合是個不太可能的事。舉例來說，你找三個線上的混音師去教混音，教出來三個學生都不一樣，那什麼叫對？很難。

我認爲，臺灣的環境要學習混音，還是必須要先從錄音的書籍唸起，再來談混音，因爲混音是集結錄音的大成，無法跳捷徑的。那怎麼把錄音做好呢？先從錄音助理做好；怎麼把助理做好呢？先把如何做人做好。這種事情是一個階段、一個階段的，做人做不好，不會有人找你錄音的，絕對要忍耐接受，做人很重要。你的專業非常的好，可是最高分只有 59 分，還是不及格；可是當你很會做人，拿到了 41 分時，你還是需要拿到 19 分的專業才行。話講回來，目前這整個大環境要改變是不容易的一件事，但先從自己做起，先從做人開始，要先知道這個產業如何跟別人溝通相處，再來講什麼叫做專業。

大師專訪

郭遠洲

混音大師：郭遠洲
綽　　號：郭哥
地　　點：真美麗錄音室／新北市

郭哥深厚的音樂基底與驚爲天人的聽力，來自於過去古典音樂的成長背景，正因爲這兩項先天優勢，使郭哥在音樂產業的知名度與專業能力廣爲人知，且爲自臺灣流行音樂產業蓬勃以來歷久不衰的最大主因。曾任雅弦錄音室總經理的郭哥，專長領域從製作公司A&R、音樂詞曲創作、聲音工程錄音與混音、Live現場音控、電視台成音技術等音樂相關領域皆有涉獵，至今更是爲臺灣音樂教育與音樂產業制度化盡心盡力。

▲ 嚴肅但卻不失風趣的郭遠洲老師，擁有著能夠察覺 0.1dB 細微差異的金耳朵

早期郭哥製作過許多膾炙人口的歌曲，像是〈天頂的月娘〉、〈流浪到淡水〉、〈點起一支煙〉、〈覺醒〉、〈不懂愛的人〉等，皆出自郭哥之手，打造出許多臺灣唱片圈的經典。至今合作過的藝人多如天上繁星，例如伍佰、五月天、陳奕迅、蕭敬騰、王菲、潘美辰、許景淳、周子寒、涂惠源、趙薇等。

透過眞美麗錄音室的楊維夫老師，有幸訪談郭遠洲老師。對我而言，聲音工程領域當中，知識與學問是一回事，這些是能夠透過自身的研究與投入，但沒有什麼是比與前輩老師暢聊，吸收以時間累積的過往經驗更令人期待。在敲定訪談時間之前，郭哥正從中國做完過年前的現場成音案件，我竟意外地成爲郭哥在年終之前的最後一個工作邀約（笑）。

與郭哥的訪談較其他大師們略爲不同，郭哥不急著與我傾吐任何他在聲音工程上的技巧，卻是以層層敘說的方式不斷地跟我分享與強調「源頭」的重要性，可能是感受到我想要在音樂教育與出版這塊的急促，而郭哥卻用了他的方式拉了拉我，告訴我，很多事情仍舊需要一步一步的照規矩來。這點郭哥在投入臺灣音樂教育後特別注意到，也是在現今速食文化當中，嘗試學習與進入聲音工程領域的朋友更需要注重的。

混音本身的技術分享

01

游：請問老師通常在製作一首曲子上的工作時數約為多長呢？

郭哥：這個問題該取決於專案裡的聲音素材，這也是我們國內跟國外聲音工程最大的差異。

如果今天工作時所面對的聲音素材狀況滿不錯的，大概約 4 至 5 個鐘頭就可以完成了。然而這有很大的一個原因是我在最基礎的地方摸了幾十年，同樣一個東西我已經嘗試過了太多的可能性，才能換得我現今那幾秒鐘的瞬間處理動作，有可能我做 3 個鐘頭的東西，是別人來做則需要 3 天時間才能夠完成的。

舉例來說，大鼓和 Bass 有衝突點，因此處理大鼓時，你要犧牲 Bass 的空間，而 Bass 卻得犧牲大鼓的空間，這兩者之間的比例該如何判定？我的經驗協助了我可以很明快地決定先抓掉這個部分，但是在抓掉這個部分的決斷與動作，這可是花了我十年的努力，才成爲旁人所看到的 10 秒鐘。

曾經劉偉仁跟我玩過 6 天處理一首歌的，他還爲此帶我去淡水，一把鼻涕一把眼淚的要我看看風景，要我把這風景帶回錄音室的那種 FU。但其實在我們工作上，眞的是有很多動作都是透過經驗的累積，才能轉化爲那瞬間的動作，因此還是需要花時間在源頭，才會有後來這麼快速的經驗判斷。

▲ 真美麗錄音室

02

游：老師對於在處理一個全新的混音專案時，有沒有什麼屬於自己的特殊工作習慣？

郭哥：現代科技可以塑造很多空間，在這樣的狀況下，反而讓我們的錄音環境產生高比例的惡劣狀況。

講一個最簡單的，小鼓在位置上的處理，從以前就一直是 Centre 正中央的一個處理習慣，但現在的混音工作很喜歡提「就是要偏一點！」，可能是因爲小鼓跟大鼓是有落差的，因此很多小朋友會跟我 Care 這一點。我說，在現在這樣的惡劣環境所錄出來的東西，你在調 Overhead 裡面小鼓的反向問題，這對我來說都有點是在浪費時間，自找麻煩，應該要著重在更重要的事物上的。

也有人問我，爲什麼我都從大鼓開始處理歌曲？其實這也是一個習慣性的問題，以我所累積的經驗，我是不會去探討大鼓或小鼓要不要用 Gate，讓聲音多乾淨，只要這個錄音的品質是符合要求的，能夠少用就少用，混音動作就不會太麻煩。我舉個例，就像在幾個非常小間的錄音室錄爵士鼓，難道還會偏執於 Room mic 要怎麼架嗎？此時硬是強調有 Room mic 反倒成爲多此一舉的動作。如果是我，在處理 Cymbals 時就讓它只有 Cymbals 的頻率就好了！

畢竟我們過去科技與環境的關係也當過很長一段時間的垃圾桶，對我而言在聲音的領域上眞的沒有什麼 Pre-set，什麼樣的音樂、什麼樣的曲風我們都需要去處理。垃圾桶的意思是指一個經驗性的問題，在聲音工作上，我可以很古典，也可以很流行，因此我反而會花更多的時間去觀察所得到的聲音素材本身的狀況，這對我而言會比較有助於後續的混音工作。

二十年前我也會迷失，我相信每個人在混音當中都會迷失，說沒有迷失都是騙人的（此刻郭哥點起一支菸，隨手開了一罐放在桌上的伯朗咖啡，我瞬間感受到這一句話帶來的氛圍，是需要時間的累積才能夠如此輕易地描繪）。在混音裡，大家都喜歡把吉他、Bass 弄得很漂亮，或把小鼓弄得又肥、又厚，木頭的聲音又棒，但那種混音整體上來說都是合不起來的。在混音裡，單一個聲音好聽是沒有用的，重點在於把不必要的因素去除，如何讓所有的樂器合在一起時好聽才是最大的重點。

在我們的觀念裡，把整個混音的 Balance 做好才是最重要的，因此我會花費非常多的時間在這個部分，當這部分結束後，我才會繼續 Focus 在 Analyzer 的超低音還有其他部分的處理，但這部分要做得多漂亮就是功力了（笑）。

03

游：老師有個人較偏愛的軟硬體 Compressor 嗎？

郭哥： 關於器材的使用，我並不會專注在追求硬體等級或品牌。關於愛用的效果器，其實我反而都在思考，當我使用某些效果器時，我是怎麼操作的，而那些器材具有什麼樣的聲音。舉例來說，我平常在使用 LA-2A 的時候，我會花費很多時間去研究它的線性在哪裡，它的聲音表現是怎麼樣的，因此，當哪一天我到了一個沒有 LA-2A 器材的錄音室時，我就可以想辦法用別的 Compressor 器材生出一個變形蟲的 LA-2A 聲音。

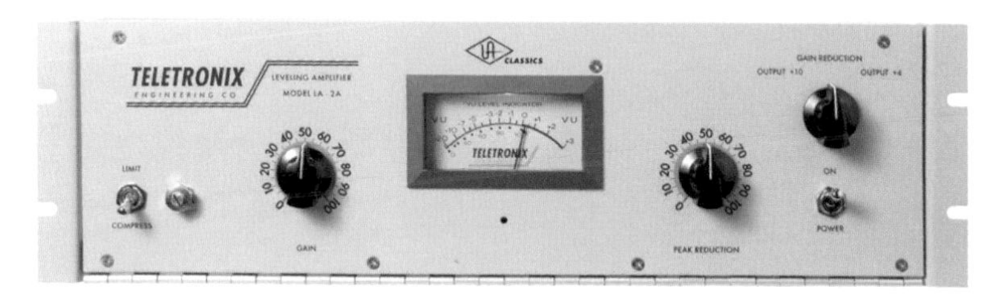

▲ Teletronix LA-2A

04

游：老師有愛用的空間效果器嗎？

郭哥： 以前 Effects 的運算邏輯並沒有現在這麼複雜，也沒有這麼多選擇，並沒有目前的方便性與這麼容易調校，這樣的環境下訓練我如何眞正去瞭解 Effects 的所有概念與操作。

現在當遇見任何我不認識的 Effects 時，直覺性的第一個動作就是把它先加到最大、最厚，然後再慢慢縮回來。爲什麼呢？像是現在那些 Effects 都擁有幾千種效果，但無一不是用厚的概念設計出來的，任何的 Effects 器材設計者，其實都是用厚開始延伸，才演算出 Duck、Plate 等各式各樣的效果。

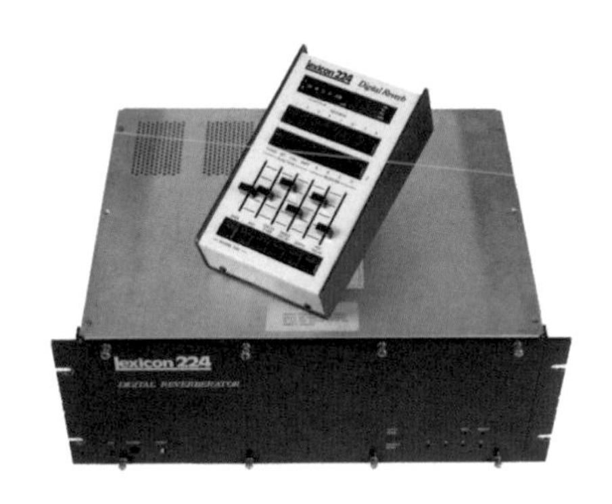

▲ Lexicon 224

當時 Donny & Marie 來臺灣，帶了 Lexicon 的第一台 224，還不是經典款 480 的時候，當時我想盡辦法也要看看到底是什麼東西。從以前沒有 Effects 的時代，我們只有 Delay，然而我們知道那種邏輯概念，所以用了 7 到 8 台 Delay，以串連的方式，透過橫向、縱向高度來調整出我們想要的效果。

05

游：老師對於 Outboard 與 Plug-in 的搭配習慣是？

郭哥：除非現場有一樣的效果器，我才會去思考這個問題。當現場擁有一台 LA-2A 時，而你電腦又有 Waves 或 UAD LA-2A，討論這個問題才會有差異性。

我的意思是，像以前 CD 剛出來時，被 LP 罵得很誇張，但慢慢地開始被市場接受，到現在轉變成爲收藏（老師笑著說）。錄音工程也一樣，我們的錄音機也是從盤帶演變至 Data。現今的電腦 CPU 或 DSP 都已經強大到快要可以取代的地步了。

以前在 Pro Tools 6 還是 7 的時候，開個三個 Plug-ins 就要祈求電腦不要當機，但現在這個問題已經消失了，其實差異性就沒這麼大了。但是在效果器的使用過程當中還是要注意，絕對不可以亂用。現在很多人的混音是 Plug-in 掛到滿，但其實這是沒必要的，效果器愈多，只是造成聲音愈模糊。混音的精神在於你怎麼去 Hi-cut 和 Low-cut，如果當你眞的摸透了它的運作原理時，好東西只要一、兩個就可以了。

06

游：在混音工作當中，老師對於整體 Sound image 位置的規劃有什麼特殊的習慣嗎？

郭哥：很多混音師會把 Vocal 處理好，但我個人的習慣是先把樂隊處理好，突出 Vocal 是最後的事。但這些混音的過程其實都還是得看編曲和錄音的品質，也都會連帶影響整個處理的順序，這是一個很現實的問題。我一直強調，混音是一種美學，混音師對我而言，並非一個技術師，而是一個音樂家、藝術家。我本身是理論作曲畢業的，因此我常會把音樂的概念帶到混音裡。

當面對一個超級大編制的編曲，老師編了一個很好聽的音樂，但是這樣的音樂編曲，通常並沒有考慮到實際樂器錄出來的樣子，也沒有考慮到人聲最終加進歌曲裡會是怎麼樣的。這時候，一個從頭唱到尾的和聲、一個從頭拉到尾的弦樂，混音師敢不敢直接決定要留最後一段的和聲？混音師敢不敢直接決定留其中一段的弦樂就好了？這就是混音師的價值所在。像是〈天頂的月娘〉這首歌，其實一開始並不是 Cello 的獨奏，而是大型的管弦樂，會變成現在市面聽到的版本是因爲我主動跟製作人溝通這件事，最終所做的決定。對我來說，愈龐大、愈複雜的東西，其實並不適用於每一種音樂情況，能夠有效地減掉東西才是驚喜。

▲ 取捨，亦是混音師的價值所在

07

游：如果老師只參與了混音階段，手上的聲音素材品質略差或都是 MIDI 時，會怎麼處理與製作呢？

郭哥：這個狀況約有百分之八十啊（錄音室裡爆出大笑聲）！

MIDI 通常還算好處理，如果眞的遇到不好處理或是問題較大的檔案，就只能直接使用 Trigger 換 Tone 了。比較害怕的是眞實樂器收音收到無法更換，但卻又難處理的，這狀況通常我就是直接變形蟲，直接強硬地調成我想要的音色。舉例來說，我之前曾經遇到一個狀況是，當我收到專案檔時，裡面的爵士鼓收了 8 支 Sm58，所以每一支麥克風的特性都一樣，我只好針對頻率著手，先想辦法抵掉聲音相互串音的問題。

現在的聲音工程工作環境，因爲預算和其他種種原因，混音師通常不會於錄音階段就到場，但這對於混音來說卻是要命的一件事。不瞭解源頭的收音狀況怎麼能夠處理得出一個好的混音呢？我常常遇到因爲空間上而產生的問題，因此在混音時就需要花費非常多的時間去處理對稱的問題，這時候就要把 Jazz 的觀念帶進來，究竟是要一縱線處理法？還是一橫線處理法？

在過去的年代，只要你有看譜的能力，然後你能駕馭得了黃瑞豐，之後你眼睛張開，每天就都是黃瑞豐了！你如果駕馭得了郭宗韶或瑪莎，那你每天都可能在錄 Bass 啦！在過去，很多錄音不一定是我混音或在我這裡配唱，因此一定需要在每個階段都拿出 90 分。所以當時錄樂隊就是 961、962 併在一起，一個樂隊就這樣處理完成了。而且當時因爲 961 與 962 的聲音都太好聽了，所以在錄音階段就都可以錄到很棒的聲音，也不太需要特別的器材，連帶後製處理混音時都很輕鬆。

▲ Studer 961

▲ Studer 962

過往的混音經驗分享

08

游：老師可以聊聊過往印象最深刻的混音經驗嗎？

郭哥：應該是〈流浪到淡水〉吧！其實很久以前就有這首歌了，編曲是 China blue，而當時是麒麟啤酒買了單。那時候伍佰剛紅起來，但團體本身卻還是非常的窮，因此這首歌其實是在他們位於天母的簡陋工作室裡完成錄音的。而當時伍佰半夜打給我，說不管怎麼樣我都務必去幫忙，因此我就義氣相挺地去幫忙咪免錢的。後來我找了魔岩唱片一起來幫忙 Promote 這首歌，想不到就成爲了一個大紅的歌曲，印象非常深刻。

09

游：一個正確的監聽環境是一件非常重要且必要的事，但如果因為現實因素導致無法每次都在相同空間環境混音，請問老師會怎麼克服這點？

郭哥：我會找到它的平衡點。

首先瞭解這個空間的殘響和聲響狀況，甚至於它的監聽系統可以眞的做到監聽的哪一個部分，就像位於一個方方正正的房間裡，一定會有非常強烈的駐波，這駐波對於睡覺是最好聽的啦！但在混音裡，你一定會聽到第二個 Reflection 或超低音，如果在這樣的狀況下就很頭痛了。

因此任何一個會影響聲音線性表現的差異，我都會先花時間去瞭解這個房間，就像到了一個駐波很強的空間，喇叭聲音一放我就會知道了，這時再去調整喇叭角度等問題，並在心中記下這間房間的陷阱問題，以避免工作時被欺騙。

10

游：老師是怎麼整理自己的 Sample 素材資料庫與 References 資料庫？

郭哥：我是聽 GRP All Star Band 或 Full player 的音樂長大的，但其實我沒有 Sample，在下班之後，都盡量不要有聲音了……（錄音室傳來一陣爆笑）。

可能是我父親給我的觀念，所以並不會刻意收藏整理 References，但是我對於聲音的 Image 非常的強，我只要聽過，即便可能不記得名字，但會記得所有的音樂細節。

11

游：在混音工作當中，「溝通」往往是影響作品好壞的一個重要因素，請問老師在處理溝通這件事上的看法與想法？

郭哥：當遇到這方面的問題時，我通常會先進行較多的處理，等到客戶跟我溝通時，我再慢慢地減少。

例如對於臺語掛的歌曲形容很難融會貫通，像是我就常遇到有製作人要求 Bass 要 Q 軟一點，或是「我的大鼓要一顆球」（錄音室發出一陣爆笑），這是因爲臺語掛的製作人，通常都會遇到不知如何形容鼓皮的聲音的情況，這時候我在把低音做得很漂亮的同時，會再加一點點鼓皮的聲音，聽起來就會像是一顆球了。

這個問題到我身上發生的機率應該比較少，可能是因爲天生的習性，我在聽力方面較被大家所認可。我一直很相信 Analyzer 的構造，人的耳朵會疲乏，因此在處理聲音上會一直很 Care 聲音的圓滑度，即使吉他的聲音很噪又很吵，但該如何使它平滑，則會是我處理混音的重點。因此我在處理 Mixing 時的前 30 分鐘都會很可怕，但我會隨著時間慢慢聚斂，讓它愈來愈滑順。

臺灣音樂產業的建議與想法

12

游：老師認為臺灣的混音製作與國外的混音製作在學習環境上最大的差異是什麼？

郭哥：古典音樂對外國人來說是他們的流行音樂，他們從小就是與這些樂器共生。

就像有些人小時候是 Rap 長大的，而有些人小時候是 Blues 長大的，因此彼此在技術層面上是很不一樣的。舉例來說，國外若是要跟我比布袋戲，可能就會輸我了，文化的不同正是此間的差異所在。

其實還有一個差異，就是外國對於回到錄音階段，當下的態度是非常嚴謹的，所以後續在處理時就不致出什麼問題。比如說，請了一位 Blues 的吉他手錄音，他們來錄音的當下就是數十個貨櫃，跟做 PA 的概念非常相像，在錄音當下選擇 Tone 的處理上，就是一個貨櫃為一個 Tone，不喜歡就換下一個，如此的嚴謹。

13

游：臺灣的聲音工程學習環境相對於國外，門檻還是較高（不管是設備器材、資訊取得管道、學習師資等原因），這點也讓許多充滿熱忱想要學習聲音工程的年輕人不得其門而入，對於這點老師的建議或者想法是？

郭哥：其實只要有心、有能力，對於網路世代來說，並沒有所謂門檻的問題，只有選擇未來在此領域的方向問題。

然而，我們常談的「經歷」問題，為何沒辦法縮短，這是因為過去那個年代在學會錄音工程前，必須要先學會拿好焊槍，通曉最基礎的焊接 Patchbay 之後，才能夠更加瞭解所有器材的走向。我通常會跟身旁的小朋友說，現在數位器材的原文書太多了，你先做一個動作：把原文書翻成中文，讓我知道你懂了多少。

現在錄音室面臨了一個較嚴重的情形，那就是招不到人。有心人不是沒有，但是都把這當成跳板。但對於音樂這件事來說，唯有先把功練好，才有後續發展的可能性。錄音器材和電都是外國人發明的，Recording 至今一百多年了，而我們了不起四十多年，他們都已經可以發揮到 200% 的淋漓盡致，再加上現在日新月異的器材，我們大部分的人卻多只懂得 30%，沒有盡全力將之學習到非常熟練與透澈，並將所有器材的功能發揮到極致，眞的很可惜。

▲ 器材日新月異，潛心學習與紮實基本功才能發揮到淋漓盡致

14

游：近年來隨著數位影音的蓬勃興起，臺灣的大專院校愈來愈多數位音樂等相關學程科系設立，這接連引出許多問題，像是學界礙於設備資訊與師資等問題導致學界、業界差異愈來愈大。而兩者之間又該如何銜接？

郭哥：其實有著豐富學經歷的專家投入教學是很好的，然而教學優劣的關鍵卻在於學生自我的學習態度。我個人認爲編程並沒有太大的問題，因爲我們有非常棒的編程人員在考察模仿外國音樂教育之所以成功的方式。但如何讓學生有學習的心態與興趣，這點倒是有些問題。像過去在大陸教課時，整個班級 200 人，頂多只有 3 位學生會選擇坐在後面，其餘 197 位學生皆搶著坐在最前面；反觀國內，班上的學生是能閃則閃，這眞的是學習心態的問題。

我曾經遇過好幾個小朋友錄吉他，我問他源頭在哪裡，這聲音都已經過了 N 個 Fader、Bus、Aux 了，然而對方竟然完全不知道。設計 Plug-ins 的人並不傻，但現在小朋友卻都用 Pre-set 做事情，並未眞正花費時間瞭解源頭，然而這點之於聲音工程眞的是件非常重要的事情。大家都瞭解 Plug-in 的特性，就像是 LA-2A，就是豐滿到不行，但你要怎麼使用它？卻完全不了解！我還曾經看過把它用在小鼓和 Hi-hat 的！這就是不夠瞭解源頭。

就算是國外，過去要在錄音室學會一切的技術，是需要在錄音室打雜三年，然後趁著閒暇之餘才能夠跟著錄音師當

Operator，起碼需要十年以上的時間才有可能眞的成爲一個錄音師和混音師。這當中所牽連的是對於音樂的美感、基本音樂能力、態度與積極度、電子學等相當多的學問。

以前弦樂錄音是最正常的，早上十點就可以報到，晚上七點左右就結束了，後續就是錄樂隊。這樣的生活我曾經過了好幾年。很多東西都是需要花費時間去眞正瞭解它的源頭，當瞭解得夠透澈後，你才能眞正學會如何妥善地應用它。

回到臺灣的音樂教育問題，我認爲還需要更佳的安排與規劃。畢竟聲音工程眞的不是照本宣科就能夠學得會的科目，沒有透過紮實的實作工夫，是不可能學到什麼東西的。像我在上課前，都會先問學生的背景，以及我能夠使用什麼樣的器材進行教學，再來依實際情形安排妥適的教學方法，並非只用黑板上課。

臺灣若是能夠建立一套具公信力的檢定系統，在聲音工程的教育推廣上絕對是有所助益的。就像在中國大陸進行高空懸吊，必須得有認證，另外像 PA、5.1 環繞系統等都需要認證。再者，這種認證制度還會牽引出一個非常重要的問題—工安問題。在聲音工程當中，若面對 110 的電，你應該順線先拔哪一個？接地是不是先拔？就連水電都有三級證照制度，故先行建立執業的門檻，對學生的學習來說，至少有一個非常明確的標準與目標，這是非常重要的事。

大師專訪

Warren Huart

混音大師：Warren Huart
地　　點：Spitfire Studio, Los Angeles

現今居住於 LA 的英國籍知名聲音工程師 Warren Huart，是曾榮獲葛萊美獎製作人獎提名的大師。曾經與 Aerosmith、Korn、The Fray、Daniel Powter、Augustana、Brendan James、Vedera、James Blunt、The X Factor 等活躍於世界的知名樂手、樂團合作，所產出的作品，於不同語言與不同民族之間被廣爲流傳與播送。

▲ Warren Huart

除了音樂製成的產業之外，Warren 同時更致力於聲音工程教育的推廣，藉由數位影音蓬勃發展的契機，創立了 Produce Like A Pro 頻道，不但不遺餘力地在網路上推廣聲音工程的重要與教育，更因此訪談了許多世界知名的混音大師與製作人，讓一般讀者更能夠一窺這行業的奧妙。

會認識 Warren 正是因爲老師與我都花費了許多時間在聲音工程教育的推廣，透過一封奇妙的 Email 所賜，出乎意料地就搭上線並相談甚歡。也許是因爲曾經在英國生活過的我與身爲英國人的 Warren，聊起來總是有股親切感與源源不絕的話題，在音樂上的討論更是無國界的限制。在一次不經意的聊天當中，我提出了想在臺灣出版一本繁體聲音工程書的想法，Warren 不假思索地立刻就同意讓我跨海訪談，正因爲如此，他的豐富資歷得以讓此書的訪談內容更加完善且增添了國際性的視野。

混音本身的技術分享

01

游：通常您都花費多少時間在一個混音作品的製作工作上呢？

Huart：這個問題眞的是需要看狀況，沒有正確答案。

對我而言，在製作一張專輯的第一首歌上，甚至可能會花費到一天或兩天的時間。然而因爲這首歌與樂團或製作人的工作經驗，可以讓我更快速地瞭解到這首歌曲或這張專輯所想要表達的意象，對於其他的歌曲就比較好處理了。

製作混音時，瞭解製作人或者是樂團本身的想法和歌曲的原意是非常重要的事。舉例來說，當在製作史密斯飛船時，你必須認眞思考所有軌道和引導這首歌曲的製作人的想法，缺一不可，這樣的狀況下，你才能夠混出適合這首曲子的混音。當遇到較爲複雜的歌曲，有可能需要花費更多的時間思考原先歌曲所想要表達的，當然就會較慢完工，所以這個問題眞的沒有一個具體的答案。

02

游：老師平常在工作的時候，有什麼固定的工作時間分配嗎？或者會不會在某些特定的工作階段限制自己的工作時間呢？（舉例來說，專案整理、Rough 混音、過帶、A / B 交叉比對、自動化控制、效果器處理等）

Huart：我認爲花時間聆聽瞭解是必要的，但是下手快狠準是很重要的事。

不要花費過多的時間在某個小細節上，讓自己能夠很快速地下決定，在混音工作上常常能夠避免掉許多大麻煩。如果我需要花費太多時間在鑽研某個細節，爲了避免自己陷進去，我絕對會先休息一下再繼續。

03

游：**當開啟一個新的專案時，您有任何習慣的工作模式嗎？**

Huart：哈哈哈！我唯一的興趣就是音樂和孩子！我超喜歡在做音樂之前和我的孩子們玩樂！

04

游：**老師有沒有特別喜愛的 Compressor？無論是軟體或者是硬體？為什麼？**

Huart：我最愛的 Compressor 就是 1176！使用在小鼓、電吉他等真的太棒了，我真希望我能夠擁有好幾台，哈哈！

▲ Universal Audio 1176

如果要說軟體式的 Compressor，McDSP Compressor Bank 會是我最常使用的。

▲ McDSP Compressor Bank

05

游：那有沒有特別喜愛的 EQ？無論是軟體或者是硬體？為什麼？

Huart：硬體的 EQ，我非常喜歡 Pultec。它在操作上對於聲音的光澤與溫暖的操控性極佳，然後又不會不小心破壞掉相位的問題。

▲ Pultec

而 EQ 軟體效果器的部分，因為我不喜歡使用 EQ 來做一個太極端的細節工作，我通常在 EQ 的使用上只是做聲音音調的塑型，因此我非常喜歡 McDSP FilterBank，它對我而言算是最直接的 EQ。

◀ McDSP FilterBank

06

游：那老師有偏好的 Effects 嗎？無論是軟體或硬體都可以，為什麼？

Huart：Eventide H3000 在 Vocal 上的處理滿出色的，我幾乎每張專輯都會使用它。

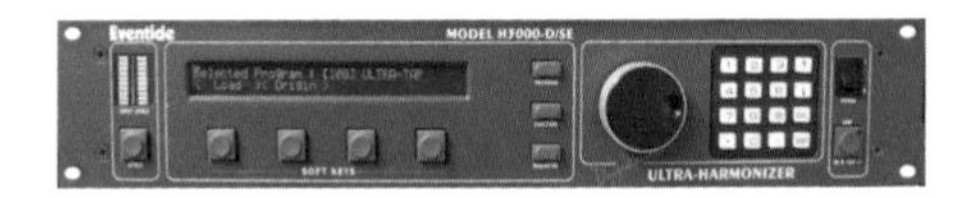

◀ Eventide H3000

而如果是談軟體效果器的部分，我滿喜歡 Soundtoys Echoboy，它在 Vocal 或者是吉他等的表現都非常完美。

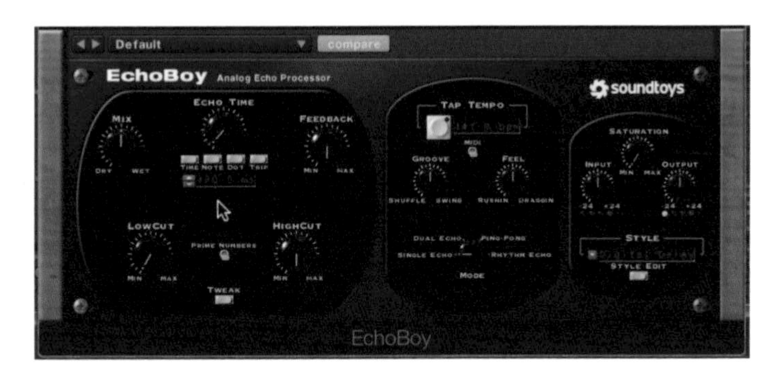

▲ Soundtoy EchoBoy

07

游：老師對於 EQ 還有 Compressor 的順序是怎麼想的呢？是 EQ 先，再放 Compressor，或者是 Compressor 先，再放 EQ 呢？

Huart：這個問題仍舊沒有正確答案。

如果你想要聲音聽起來更具侵略、主動性，你可以把 EQ 放在 Compressor 之前。這代表你選擇你要的聲音訊號的頻率並且提升後，再使用 Compressor 來讓它更融合回整體的聲音。或者是當你把 EQ 放在 Compressor 後方的話，這樣對於增加一些聲音的空氣感或者是光澤感都是很好的做法。

08

游：老師現在對於 ITB 或者是 Outboard 都是怎麼分配的呢？有沒有任何分配比例？

Huart：對於希望更大聲、更兇猛、更現代的一些歌曲，我必須老實說，ITB 真的是比較難處理。但是對於聽起來更自然的曲風，讓它特別透過類比控台，通常聽起來都會更爲舒服。但是話說回來，在現代任何方式都能夠得到非常棒的聲音，現在也非常多厲害的混音師都已經漸漸轉型到 ITB 的世界裡了。

09

游：通常一張專輯裡往往擁有著不同曲風的音樂風格，老師都怎麼處理的呢？

Huart：這個問題重點在於對每首歌的專注度跟用心程度絕對是需要相同的。有些歌也許需要花費數天才能夠掌握到它的概念（正如我之前回答的，我認爲瞭解歌曲本身的意象是非常重要的！），但是對於某些歌，如果有了先前其他歌曲的經驗，在操作上眞的非常快速。

過往的混音經驗分享

10

游：可以聊聊您印象最深刻的混音作品嗎？

Huart：這問題在轉眼即逝的二十年歲月裡，實在很難描述啊！但一般大眾很喜歡 Aerosmith 的 LUV XXX，這首歌當時在與 Brad Whitford（Aerosmith 的吉他手）的討論上，還眞的是花了我好多天呢！

11

游：我們都清楚聲學反應對於混音工作的可怕與影響力。正因如此，如何「聽見一個正確的聲音」變成是混音工作裡非常重要的一個部分。但是如果不能夠只待在同一個地方製作混音，您通常會怎麼辦呢？

Huart：我認爲，當面對其他人所錄製的聲音素材，能夠在不同的空間聆聽與處理混音，對我而言反而是一個非常好的方式。

這樣的做法反而能夠讓耳朵聽見更多的可能性，創造出一個更加獨特的聲音。一個好的混音師，絕對不能夠被空間所受限，這是非常重要的事。

◀ Spitfire Studio 的角落

12

游：**對於一些剛入門的新手，他們往往不太能夠負擔一對太好的監聽喇叭，或者是經過縝密設計的空間環境，老師能夠給他們一些建議嗎？**

Huart：請買一支在你能夠負擔的範圍內，最好的監聽耳機。

並且在這樣的狀況下執行完混音後，透過各式各樣的空間環境來檢查它。像是你的車子、你的家用音響、你的 iPod 等。

13

游：**老師是怎麼收集整理 References 呢？**

Huart：我會收藏任何對我有啓發的製作人或者是混音師的作品。特別是那些第一次聽到就會讓我難忘的歌曲，或者是我知道它們是怎麼製作完成的。

14

游：**有時候在混音工作裡，溝通的困難程度遠遠勝過混音工作本身。老師都是如何解決混音工作中在溝通上的障礙呢？**

Huart：這非常簡單，只要別把任何個人觀感的情愫或者是自己的想法丟進工作裡。請永遠記得，人們都是需要被聆聽的，當建立在這樣的方式下所產生的溝通，絕對能夠有效地解決這個問題！

▲ 不要讓個人觀感影響工作上的溝通

臺灣音樂產業的建議與想法

15

游：在臺灣的音樂產業已經呈現了一個極致的 M 型化，幾乎都沒有預算製作專輯了，更別說也因此倒了一堆錄音室。對於有志於此的新人，究竟有什麼方式能夠得到製作較大案子的機會呢？

Huart：我覺得這個問題非常難回答。

我會成爲這樣的一個製作人 / 混音師，是從當時的樂團（Star 69）的樂手轉換上來的，而非錄音室助理，因此我其實沒有擁有像是一般錄音室助理那樣的訓練。

我會得到像是史密斯飛船等大咖音樂人的案子，我想最大的原因是我花了很多的時間在這個圈子裡生活，其實必須談到一個很現實的問題，在這世界上，根本沒有這麼多大型且專業的錄音室擁有這麼多需求或時間，去額外訓練一個從零到完美的錄音室助理。因此現今想成爲錄音師或製作人，不僅只是專業能力上的具備，更是需要思考一個全新的範例，以及不同以往的思考模式。

16

游：老師能夠對於那些音樂愛好者，並且打算進入這行業工作的新人一些建議嗎？

Huart：請做好心理準備，並且準備好盡全力、準備好在長時間下工作的狀態。

並且當你正式以助理的身份進入到這個產業時，請準備好有可能是沒有錢的助理（或者是薪資非常少的）。

17

游：您認為您家鄉的音樂作品混音與其他國家的音樂作品混音最大的差異是？

Huart：我來自英國，而英國因為是一個小小的海島型國家，更加上當地的 BBC 廣播電台公司在英國的被信賴度與民族支持程度是極高的，對於英國的藝術工作者來說（無論是歌手或是聲音工程師），若是作品能夠在 BBC 播送，似乎都比其他大型國家（如美國）還要來的簡單與快速。

在英國，如果你能夠讓作品透過多個不同的電台頻道播放，像是 BBC 或者是一些在地的電台或衛星電視，就能夠非常有效地滲透到一般大衆的聆聽系統裡。只要你的混音作品進入了電台的宣傳，其實非常容易讓你的作品被廣大的收聽族群給聽到的，這對於音樂家來說，是很重要的一件事。

◀ 專注於工作的Warren Huart

18

游：**與其他國家相比，臺灣仍然是非常難獲得混音或聲音工程相關知識的。這常讓一些對於音樂有興趣的新人不知道從哪裡開始，老師有什麼想法嗎？**

Huart：這問題實在是太龐大了！很難在這邊就回答！

但是我認為，也許你可以 Follow 我現在正在致力製作的線上聲音工程教學 Produce Like A Pro 網站，或者將來你也可以幫我把這些教學影片加上繁體中文。畢竟聲音工程是屬於歐美國家的學問，但若是有任何能夠幫上亞洲的聲音工程教育，我會非常樂於幫忙！

國家圖書館出版品預行編目（CIP）資料

催生音樂：混音大人物／游士昕編著. ── 二版. ── 新北市：
全華圖書, 2016.08
面； 公分
ISBN 978-986-463-321-0（平裝）

1. 電腦音樂 2. 電腦語音合成 3. 訪談

917.7029 105015153

The Mixing Masters
催生音樂－混音大人物

作　　者　游士昕
發 行 人　陳本源
執行編輯　吳佳靜
封面設計　張珮嘉
美術編輯　張珮嘉
出 版 者　全華圖書股份有限公司
郵政帳號　0100836-1 號
印 刷 者　宏懋打字印刷股份有限公司
圖書編號　7823101
二版一刷　2016 年 8 月
I S B N　978-986-463-321-0
全華圖書　www.chwa.com.tw
全華網路書店 Open Tech　www.opentech.com.tw
若您對書籍內容、排版印刷有任何問題，歡迎來信指導 book@chwa.com.tw

臺北總公司（北區營業處）
地址：23671 新北市土城區忠義路 21 號
電話：(02) 2262-5666
傳真：(02) 6637-3695、6637-3696

南區營業處
地址：80769 高雄市三民區應安街 12 號
電話：(07) 381-1377
傳真：(07) 862-5562

中區營業處
地址：40256 臺中市南區樹義一巷 26 號
電話：(04) 2261-8485
傳真：(04) 3600-9806